# EL PRADO

# EL PRADO

ALFONSO E. PÉREZ SÁNCHEZ
MANUELA MENA MARQUÉS
JUAN J. LUNA
JOAQUÍN DE LA PUENTE
MATÍAS DÍAZ PADRÓN

Edición revisada íntegramente por
Juan J. Luna, 1998

Editado por primera vez en 2000 por
Scala Publishers Ltd
143–149 Great Portland Street
London WIN 5FB

ISBN 1 85759 244 1

Fotografías: Gonzalo de la Serna
Diseño: Anikst Design
Corrección: First Edition Translations y
Elena Colvée
Impreso en España por KSG Elkar

Todas las fotografías de este libro pertenecen
a Gonzalo de la Serna, a exceptión de aquellas
obtenidas por los archivos que se detallan a
continuación:
© Museo del Prado, Madrid, pp. 8, 12, 15, 20,
21 (3), 22 (3), 26 (1, 3), 27 (5), 33, 34, 41 (2, 4),
46–7 (2, 3), 48, 52, 60, 69 (3), 72 (1), 75 (2), 77
(3), 81, 83, 97, 101, 102 (2), 103, 109, 112 (2),
121–2, 131, 138, 144, 149, 154, 156 (2), 159 (3),
166 (2), 167–8, 170 (1, 3), 171 (4), 174, 176, 182,
184–5, 189, 190–1 (3), 197 (3, 4), 198 (2), 201,
212–13 (2), 217, 222 (2), 226 (2), 228 (1, 3), 229,
233, 238–9, 241, 243 (5, 6), 246, 249 (3), 250,
252 (2), 253.
© Oronoz, pp. 25 (3), 35, 47 (4), 75 (1), 76, 80,
111 (2, 4), 115 (2), 163 (5), 193, 220 (1), 228 (2),
242 (2), 243 (7), 244, 252 (1).

Ilustración de portada: Lorenzo Lotto, *Micer
Marsilio y su esposa* (detalle), 1523

# SUMARIO

# CRONOLOGÍA DE LOS ACONTECIMIENTOS PRINCIPALES EN LA HISTORIA DE LA CONSTRUCCIÓN DEL PRADO Y LA CREACIÓN DEL MUSEO

1775 Carlos III encarga al arquitecto Juan de Villanueva los primeros planos para un Museo de Historia Natural.

1809 José Bonaparte promulga un decreto real con el fin de fundar un Museo de Pinturas.

1810 José Bonaparte promulga un decreto real que establece una galería de pinturas en el palacio de Buenavista, originalmente propiedad de la duquesa de Alba y más tarde de Godoy, presidente del Consejo de Carlos IV.

1811 Muerte de Juan de Villanueva; la construcción del Prado está casi completa. El ejército francés de ocupación durante la Guerra de la Independencia (1808–13) transforma la vasta construcción en caballerizas. Desaparece la techumbre de plomo para hacer pertrechos bélicos; más adelante será sustituida por tejas.

1814 Fernando VII, merced a las sugerecias de la reina María Isabel de Braganza e Isidoro Montenegro, decide montar una galería en el edificio vacío que se encuentra en el Paseo del Prado.

1818 Creación del Museo Real.

1819 Apertura oficial del Museo Real por Fernando VII.

1819–29 Una parte considerable de la colección real se transfiere al Prado.

1829 El duque de San Fernando efectúa el primer donativo: *Cristo crucificado*, de Velázquez.

1835 Mendizábal hace votar las leyes desamortizadoras de los bienes de las comunidades religiosas; se sacan muchos cuadros de iglesias y monasterios para trasladarlos al convento de la Trinidad, que se convierte en una galería de arte provisional; nace así el llamado "Museo de la Trinidad".

1838 Por causa de la amenaza del ejército carlista, se trasladan cuadros al Prado en gran número procedentes del Monasterio de San Lorenzo de El Escorial y de otros palacios de los alrededores de Madrid.

1843 Se registran 1949 obras en el Catálogo del Prado.

1868 El Museo Real queda nacionalizado, después del destronamiento de Isabel II.

1870–2 La colección entera del Museo de la Trinidad y los cartones para tapices que realizó Goya, guardados en el Palacio Real de Madrid, se trasladan al Prado.

1881 Donación de las "pinturas negras" de Goya, por el Barón d'Erlanger.

1883–9 Se amplía el edificio y se abren salas nuevas.

1889 Donación de más de 200 cuadros por la duquesa de Pastrana.

1898 Inauguración del Museo de Arte Moderno destapa gran parte de los fondos del siglo XIX, que se llevados a un nuevo emplazamiento independiente del Prado.

1912 Se amplía el patronato del Museo.

1914–30 Se ampliá el edificio con salas adicionales.

1915 El legado de Don Pablo Bosch aporta una serie de pinturas importantes.

1930 El legado de Don Pedro Fernández Durán aporta otro conjunto de cuadros significativos.

1936–9 Pablo Picasso ejerce el cargo de Director del Prado. Durante la Guerra Civil se sacan las obras principales y, con la ayuda de un Consejo Internacional convocado para proteger los tesoros artísticos de España, se transfieren a Suiza desde Valencia.

1939 Exposición en el Museo de Arte e Historia de Ginebra de una selección de pinturas procedentes del Prado; los lienzos que se habían enviado a Suiza regresan a España.

1940 Donativo de un excepcional grupo de pinturas por Don Francisco Cambó.

1955–6 Se vuelve a ampliar el edificio con salas adicionales.

1969 Se celebra, con diferentes actos, el 150 aniversario de la inauguración del Prado, abriéndose nuevas salas.

1971 El Casón del Buen Retiro pasa a formar parte del Museo del Prado. En él se montará la sección del siglo XIX.

1976 Se inician los trabajos de renovación del edificio de Juan de Villanueva.

1980 Se inauguran las primeras salas climatizadas. Se constituye la Fundación de los Amigos del Museo del Prado. Se publica el primer número del Boletín del Museo del Prado, pensado inicialmente con frecuencia cuatrimestral.

1981 El Legado Picasso entra en el Museo del Prado siendo su pieza principal el célebre *Guernica*. Éste y otros legados de arte del siglo XX, así como algunas obras del XIX serán transferidos al Museo Nacional del Centro de Arte Reina Sofía entre 1993 y 1995.

1982 Las exposiciones de El Greco y Murillo reanudan los proyectos de grandes muestras monográficas y de conjunto. A lo largo de los años siguientes, destacarán las dedicadas a Velázquez y Goya, así como muchas más tanto de escuela española como de escuelas extranjeras.

1985 El Museo se convierte en Organismo Autónomo. Se constituye el Real Patronato de acuerdo a la nueva estructura jurídica. El Palacio de Villahermosa se incorpora al Prado, para crear en su interior una sección del Museo dedicada a Goya y la pintura del siglo XVIII.

1986 Se crean los Departamentos del Museo.

1988 El Palacio de Villahermosa es separado del Museo del Prado para tener un destino museístico diferente.

1990–6 Publicación de los tres tomos del Inventario General de Pinturas.

1991 Se hace efectivo el legado testamentario de Manuel Villaescusa, consistente en una importante suma de dinero en efectivo, así como bienes muebles y propiedades inmobiliarias.

1992 Se concluyen los trabajos de renovación del Museo.

1994 Se celebra el 175 aniversario de la inauguración del Museo.

1996 Se modifica el Real Decreto del Organismo Autónomo Museo Nacional del Prado. Se inician los trabajos de renovación de las cubiertas del edificio de Juan de Villanueva.

1998 Se clausura el Casón del Buen Retiro para acometer su reforma completa.

1999 Se presenta la primera fase del proyecto de ampliación del Museo que prevé la existencia de cinco edificios; el de Juan de Villanueva, el Casón del Buen Retiro, una construcción moderna (1959) de oficinas, un edificio nuevo que englobará el claustro de la cercana Iglesia de los Jerónimos y el Museo del Ejército en el que se recuperará el Salón de Reinos del antiguo palacio del Buen Retiro.

# LA COLECCIÓN ESPAÑOLA

**Diego Velázquez da Silva**
*Las Meninas*, 1656 (detalle)

# INTRODUCCIÓN

El Prado debe su existencia a la afición artística de la monarquía española, puesto que es la colección real la que constituye el corazón del Museo, siendo la colección española el núcleo principal. He aquí la explicación de la presencia de tantos artistas vinculados a la corte: pintores de cámara y retratistas oficiales desde Sánchez Coello, con Felipe II, hasta Goya con Carlos IV, y a lo largo del siglo XIX desde Vicente López en adelante. Es más, la corte adquirió muchas obras de artistas que estuviesen de moda, aunque trabajasen lejos de Madrid. Así ocurrió con la reina Isabel de Farnesio, quien hizo buscar las obras de Murillo en Sevilla en 1729, y consiguió muchos de sus cuadros. No obstante, las escuelas regionales y la pintura medieval, de carácter piadoso, o no figuraban en las colecciones reales o se representaban fragmentariamente, por ser ajenas a la corte, o no estar consideradas todavía.

Al incorporarse el Museo de la Trinidad al Museo Real, en 1872, el Prado se enriqueció con muchas obras religiosas de las escuelas madrileña y toledana, llegando también algunos "primitivos" muy valiosos. Sin embargo, las lagunas continuaban y sólo en fecha muy reciente se han ido colmando. No fue hasta 1946 que se instalaron algunas obras románicas en el Prado, aunque el arte románico ocupara ya lugar de honor en el Museo de Barcelona desde 1926. En los últimos años se han adquirido primitivos castellanos, andaluces, aragoneses, catalanes y valencianos. De modo semejante, gracias a las adquisiciones y donaciones de los últimos cincuenta años, se han añadido ejemplares sobresalientes de las escuelas barrocas valenciana, cordobesa, granadina e incluso sevillana, así como de otras regiones. El creciente interés por el siglo XVIII español ha propiciado la entrada de algunas obras representativas de este período. Análoga política se ha seguido con el XIX, que ha incrementado aún más su presencia.

# DESDE LOS PRIMITIVOS HASTA EL GRECO

Los frescos de San Baudilio de Berlanga y Santa Cruz de Maderuelo, las obras más antiguas del Prado, sirven como ejemplos excelentes de la severa ordenación figurativa del románico español, cargado de alusiones bizantinas y orientales, con su inclinación casi abstracta a las tonalidades sencillas y la repetición lineal. A éstos, se han ido añadiendo desde hace unas décadas algunas obras, principalmente tablas de altar, que demuestran el paso, en el siglo XIII, hacia una forma de narración pictórica más emotiva: notablemente un frontal que representa a San Esteban y un retablo que muestra a San Cristóbal. Exhiben un tono ya gótico aunque se expresan con las formas y los contornos sencillos del estilo románico. El mundo gótico se ve representado en el Prado por varios retablos sobresalientes del estilo internacional, los cuales funden motivos sieneses y franceses, en un delicioso despliegue de formas caligráficas, actitudes elegantes y detalles vivaces, que transponen la atmósfera del romance caballeresco a la narración religiosa. Obras tales como las tablas catalanas de los hermanos Serra y el gran retablo de Nicolás Francés datan de este período de elegancia exquisita.

A partir de la segunda mitad del siglo XV, la influencia del realismo flamenco, que se origina con los Van Eyck, tiene gran impacto sobre la pintura española y contribuye a la formación de los primeros artistas españoles de proyección universal. La implacable objetividad de pintores tales como Jan van Eyck y Robert Campin cobra en las obras de algunos artistas españoles un espíritu poético, casi expresionista. No obstante, su vigor y aspereza, junto con su prodigalidad oriental de dorados, los une de manera innegable con los maestros primitivos. El Prado posee algunas obras capitales anónimas, así como tablas importantes de dos de los más grandes maestros de ese período; del castellano Fernando Gallego y del cordobés Bartolomé Bermejo, que trabajó en Aragón.

Pedro Berruguete, quien también debe mucho a la influencia flamenca que por entonces predominaba en Castilla, ocupa un lugar aparte. Su viaje a Italia, en pleno Renacimiento, le introdujo a las obras de Piero della Francesca y Melozzo da Forli, despertó en él una nueva conciencia de espacio y ritmo, y le hizo adoptar los detalles decorativos del lenguaje de motivos clásicos que abrieron paso al Renacimiento en Castilla. En otras partes de España hubo una evolución paralela, tal vez acelerada por la presencia de artistas italianos. Así, en Valencia, el anónimo Maestro del Caballero de Montesa, que era seguramente el italiano Paolo de San Leocadio, marca un paso más en la conquista del nuevo estilo plástico.

En Valencia, durante los primeros años del siglo XVI, y coincidiendo con esta tentativa de incorporación de elementos nuevos, hallamos las creaciones de Fernando Yáñez de la Almedina, en las cuales se percibe un eco vivísimo del arte de Leonardo da Vinci, matizado con una riqueza de color típicamente veneciana. El Prado posee, entre otras obras de Yáñez, la exquisita *Santa Catalina*. Sin embargo, el siglo que empezó de modo tan prometedor no produjo luego nada equiparable y queda como uno de los periodos menos personales en toda la historia de la pintura española. En realidad, en el Prado falta casi por entero la pintura andaluza, que tenía, sobre todo en la segunda mitad del siglo, estrechas afinidades con el mundo italiano. No obstante, dicho período queda representado por Pedro Machuca, que estudió en Italia y asimiló muchas de las sutilezas del manierismo. Más o menos contemporáneos son los valencianos Vicente Masip y su hijo Juan de Juanes, cuyas obras trajeron un eco de las formas florentinas y romanas del alto Renacimiento, de carácter lúcido y puro en el padre, y dulcificado en el hijo.

Durante la misma época, el extremeño Luis de Morales formó su estilo personal, con elementos flamencos y leonardescos. Mientras, en la corte de Felipe II, la visita del pintor holandés Anthonis Mor van Dashorst (conocido como Antonio Moro) influyó extraordinariamente en la creación de la escuela de los retratistas oficiales, de la cual Sánchez Coello fue el más distinguido. Los retratos realizados por este artista combinan un estilo de sólida objetividad con una sobria elegancia en las poses de sus modelos y también reflejan cierta influencia veneciana. Dejaron un considerable legado estilístico a sus sucesores, notablemente Pantoja de la Cruz y Bartolomé González, que duraría casi hasta los tiempos de Velázquez.

Al mismo tiempo, también pintaba El Greco, aunque algo aislado de la corte, en Toledo. Había llegado a España en 1577, atraído tal vez por las posibilidades de trabajo que ofrecía la decoración de El Escorial. Su intento de realizar cuadros para el Monasterio de San Lorenzo de El Escorial fracasó, aunque allí quedase el extraordinario *Martirio de San Mauricio*, encargado por Felipe II, pagado con generosidad, pero posteriormente descartado. El Greco, en el clima intelectual, apasionado y algo pesimista de Toledo, creó un mundo pictórico personalísimo, de una intensidad manierista sin igual, que le convierte en uno de los artistas más originales de su país adoptivo. La colección real contenía varios retratos de su mano, que sabemos fueron muy estimados por Velázquez. Al transferirse las obras del Museo de la Trinidad al Prado, se añadieron a la colección varias composiciones religiosas de El Greco; desde entonces, adquisiciones y donativos posteriores han hecho del Prado un lugar donde se puede estudiar la estética del gran cretense en todos sus aspectos.

1

2

1

**Pinturas murales de la ermita de Santa Cruz de Maderuelo**
(Segovia)
*Creación de Adán. El pecado original*
Su anónimo autor trabaja en Cataluña y Castilla a mediados del siglo XII
Fresco transportado a lienzo
Mide la instalación 498 × 430 cm
Entró en el Prado en 1947

2

**Anónimo catalán**
Fines del siglo XIII
*Frontal de Guills*
Tabla, 92 × 175 cm
Procede de la Iglesia de San Esteban de Guills (Gerona)
Adquirida en 1963
Nº de Catálogo 3055

3
**Maestro anónimo,**
conocido como el Maestro de Berlanga. Trabaja en Soria a principios del siglo XII
*Un cazador*
Fresco transportado a lienzo
290 × 134 cm
Procedente de la ermita de San Baudelio de Berlanga
Depósito temporal indefinido del Metropolitan Museum of Art de Nueva York
Entró en el Prado en 1957
Sin Nº de Catálogo

4
**Maestro anónimo** de la escuela castellana. Trabaja en Castilla durante el siglo XIV
Retablo que muestra *San Cristóbal y el Niño Jesús, El Descendimiento y Escenas de las vidas de San Pedro, San Blas y San Millán*
Tabla, 207 × 149 cm
Donada en 1969 por Don José Luis Várez Fisa
Nº de Catálogo 3150

**Rodríguez de Toledo**
Trabaja en Castilla durante el primer cuarto del siglo xv
Tabla, 150 × 82 cm, de un retablo que representa a *La Virgen y el Niño con ángeles, santos dominicos, Fernando IV de Aragón y al arzobispo Don Sancho de Rojas*
Procedente de la iglesia del monasterio de San Benito de Valladolid
Entró en el Prado en 1929
Nº de Catálogo 1321

**Nicolás Francés**
Trabaja en León desde antes de 1424 hasta 1468, año de su muerte
Retablo de la vida de la Virgen y San Francisco
Tabla, 557 × 558 cm
Procedente de la capilla de La Esteva de Las Delicias de La Bañeza, León
Entró en el Prado entre 1930 y 1932
Nº de Catálogo 2545

1

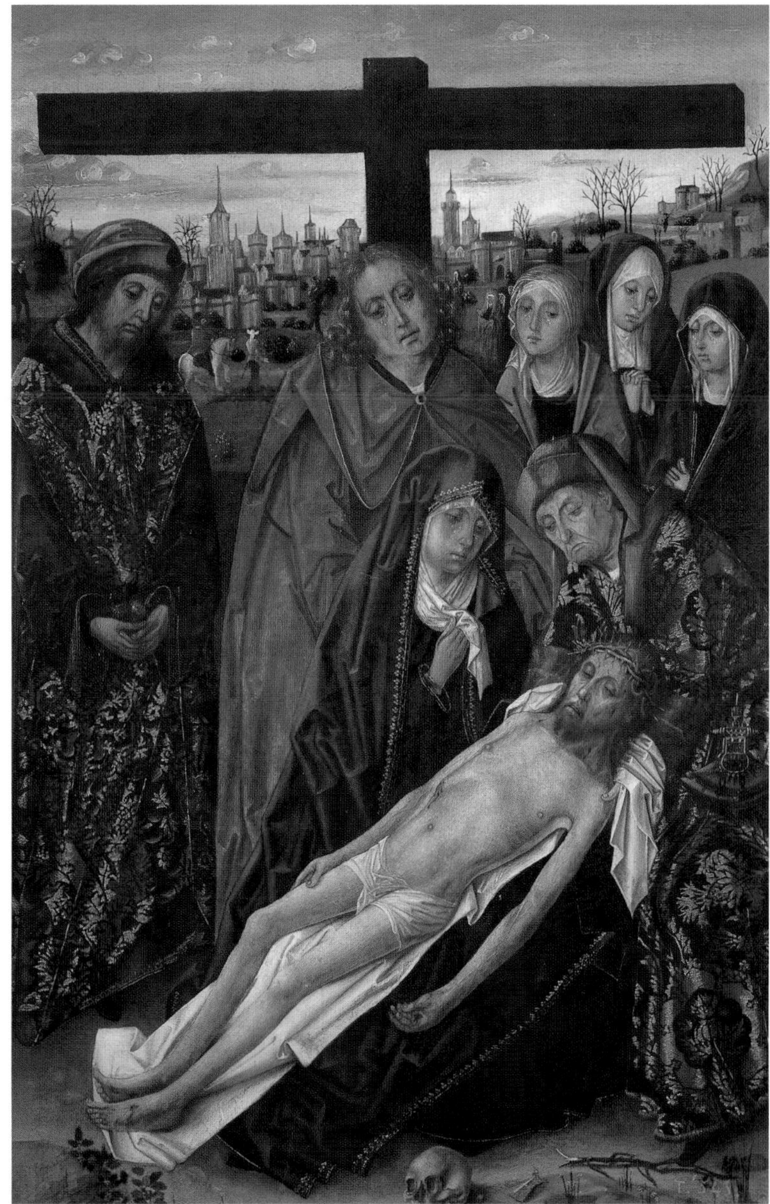

2

1
**Tomás Giner**
Trabaja en Aragón durante la segunda mitad del siglo XV (1454–80)
*San Vicente diácono y mártir con un donante*
Tabla, 185 × 117 cm
Procede de la capilla del Arcediano de la Seo de Zaragoza
Entró en el Prado en 1920
Nº de Catálogo 1334

2
**Maestro hispanoflamenco**, conocido como el **Maestro de la capilla de D. Álvaro de Luna**
Trabaja durante el último cuarto del siglo XV
*La sepultura de Cristo (El séptimo dolor de la Virgen María)*, aprox. 1488–90
Tabla, 105 × 71 cm
Procedente del Museo de la Trinidad
Nº de Catálogo 2425

1

2

1
**Maestro valenciano**,
conocido como el **Maestro de Perea**. Trabaja hacia finales del siglo XV
*La Visitación*
Tabla, 126 × 155 cm
Legada por Don Pablo Bosch en 1915
Nº de Catálogo 2678

2
**Bartolomé Bermejo**
Nacido en Córdoba. Trabaja entre 1474 y 1495
*Santo Domingo de Silos*,
aprox. 1474–7
Tabla, 242 × 130 cm
Entró en el Prado en 1920
Nº de Catálogo 1323

1

1
**Juan Correa de Vivar**
Muerto 1566 en Toledo
*La adoración del Niño,*
aprox. 1533–5
Tabla, 228 × 183 cm
Probablemente procede del monasterio de Guisando de Avila
Nº de Catálogo 690

2
**León Picardo**
Trabaja en Burgos entre 1514 y 1530; muerto 1547
*La presentación de Cristo en el templo*
Tabla, 170 × 139 cm
Procedente del monasterio de Támara de Palencia
Adquirida en 1947
Nº de Catálogo 2172

3
**Pedro Berruguete**
Nacido aprox. 1450 en Paredes de Navas(?); muerto antes de 1504
*Auto de fe presidido por Santo Domingo de Guzmán*
Tabla, 154 × 92 cm
Procedente de la Iglesia de Santo Tomás de Ávila
Adquirida en 1867
Nº de Catálogo 618

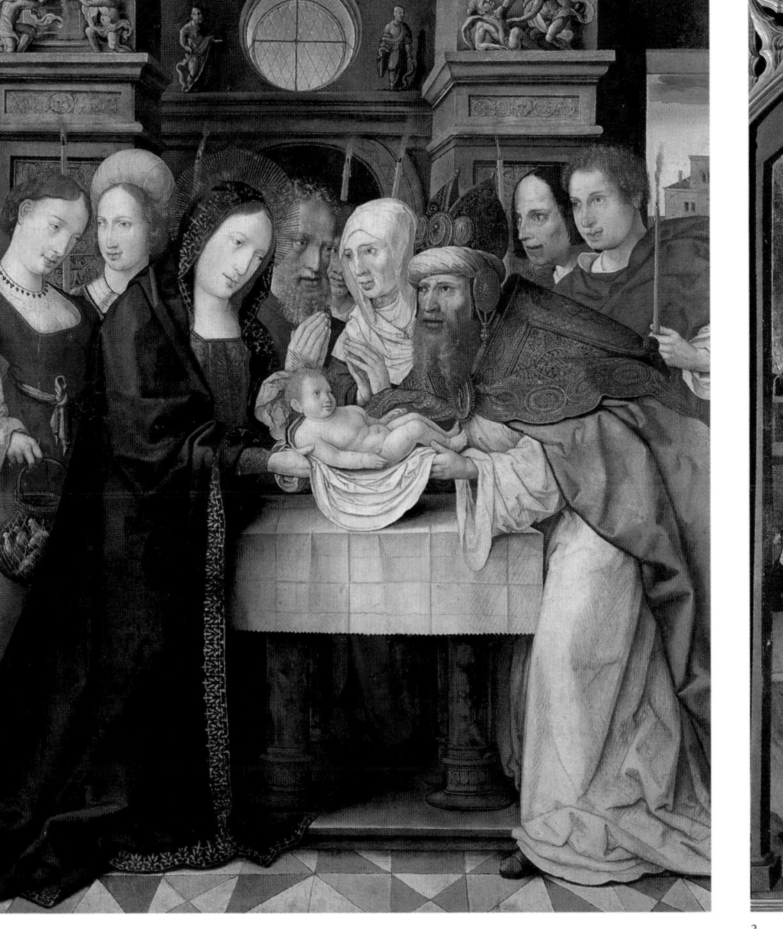

2

3

4
**Fernando Gallego**
Trabaja entre 1466 y 1507
*La Piedad*
Tabla, 118 × 102 cm
Procedente de la colección Weibel de Madrid
Adquirida en 1959
Nº de Catálogo 2998

Esta obra, firmada por Fernando Gallego, refleja claramente la influencia de la pintura flamenca del siglo XV. Se nota sobre todo en la postura tan rígida del cuerpo de Cristo, en la triste expresión de la Virgen y también en el paisaje, con una ciudad cuidadosamente descrita. Las fantásticas formaciones rocosas y los donantes diminutos no son específicamente flamencos, sino típicos de los retablos realizados en toda Europa a finales de la Edad Media.

4

1

2

3

1
**Pedro Berruguete**
Nacido aprox. 1450 en Paredes de Navas(?); muerto antes de 1504
*La Virgen con el Niño*
Tabla, 58 × 43 cm
Legada por Don Pablo Bosch en 1915
Nº de Catálogo 2709

2
**Alejo Fernández**
Córdoba, aprox. 1475–Granada, aprox. 1545–6
*La flagelación de Cristo*
Tabla, 42 × 35 cm
Formaba parte de la colección de Isabel de Farnesio en 1746
Nº de Catálogo 1925

3
**Juan Sánchez de San Román**
Trabajó en Sevilla a finales del siglo XV y comienzos del siglo XVI
*Cristo varón de dolores,* aprox. 1500
Tabla 45 × 30 cm
Adquirida en 1987
Nº de catálogo 7289

4
**Vicente Juan Masip,** llamado **Juan de Juanes Fuente La Higuera**(?)
1523–Bocairente, 1579
*La Última Cena (La institución de la Eucaristía)*
Tabla, 116 × 191 cm
Procedente de la Iglesia de San Esteban de Valencia
Colección de Carlos IV
Sustraida por José Bonaparte
Entró en el Prado en 1818
Nº de Catálogo 846

5
**Vicente Masip**
aprox. 1475–Valencia, 1545
*La Visitación*
Tabla, 60 cm diámetro
Procedente del convento de San Julián de Valencia
Más tarde parte de la colección del marqués de Jura Real
Adquirida en 1826
Nº de Catálogo 851

4

5

1
**Fernando Yáñez de la Almedina**
Trabaja entre 1501 y 1531 en Valencia
*Santa Catalina de Alejandría*
Tabla, 212 × 112 cm
Procedente de la colección del marqués de Casa-Argudín
Adquirida en 1946
Nº de Catálogo 2902

2
**Paolo de San Leocadio**
(antes conocido como el **Maestro del Caballero de Montesa**)
Nacido en Italia; trabaja entre 1472 y 1514 en Valencia
*La Virgen con el Niño (La Virgen del Caballero de Montesa)*
Tabla, 102 × 96 cm
Adquirida en 1919
Nº de Catálogo 1335

3
**Pedro Machuca**
Toledo, finales del siglo xv–Granada, 1550
*El descendimiento de la cruz*
Tabla, 141 × 128 cm
(incluyendo el marco)
Adquirida en 1961
Nº de Catálogo 3017

3

4
**Luis de Morales**, llamado
**El Divino**
Badajoz, aprox. 1500–86
*San Esteban*
Tabla, 67 × 50 cm
Donada en 1915 por los descendientes de la condesa de Castañeda
Nffl de Catálogo 948

5
**Luis de Morales**, llamado
**El Divino**
Badajoz, aprox. 1500–86
*La Virgen con el Niño*
Tabla, 84 × 64 cm
Legada por Don Pablo Bosch
en 1915
Nffl de Catálogo 2656

4

5

1

2

3

4

5

6

1
**Alonso Sánchez Coello**
Valencia, aprox. 1531/2–
Madrid, 1588
*El príncipe Don Carlos de Austria*
Lienzo, 109 × 95 cm
Colección de Felipe II
Nº de Catálogo 1136

2
**Domenikos Theotokopoulos,**
llamado **El Greco**
Kameia, aprox. 1540/1–
Toledo, 1614
*Doctor Rodrigo de la Fuente* (?)
antes de 1598
Lienzo, 93 × 82 cm
Colección de Felipe IV
Nº de Catálogo 807

3
**Bartolomé González**
Valladolid, 1564–Madrid, 1627
*La reina Margarita*
*de Austria*, 1609
Lienzo, 116 × 100 cm
Origen desconocido
Nº de Catálogo 716

4
**Domenikos Theotokopoulos,**
llamado **El Greco**
Kameia, aprox. 1540/1–
Toledo, 1614
*Cristo abrazado a la cruz*, aprox.
1600–10
Lienzo, 108 × 78 cm
Entró en el Prado en 1877
Nº de Catálogo 822

5
**Domenikos Theotokopoulos,**
llamado **El Greco**
Kameia, aprox. 1540/1–
Toledo, 1614
*El caballero de la mano en el pecho*,
aprox. 1577–84
Lienzo, 81 × 66 cm
Colección real
Nº de Catálogo 809

6
**Domenikos Theotokopoulos,**
llamado **El Greco**
Kameia, aprox. 1540/1–
Toledo, 1614
Fábula, aprox. 1600
Lienzo, 50 × 64 cm
Adquirido en 1993
Nº de catálogo 7657

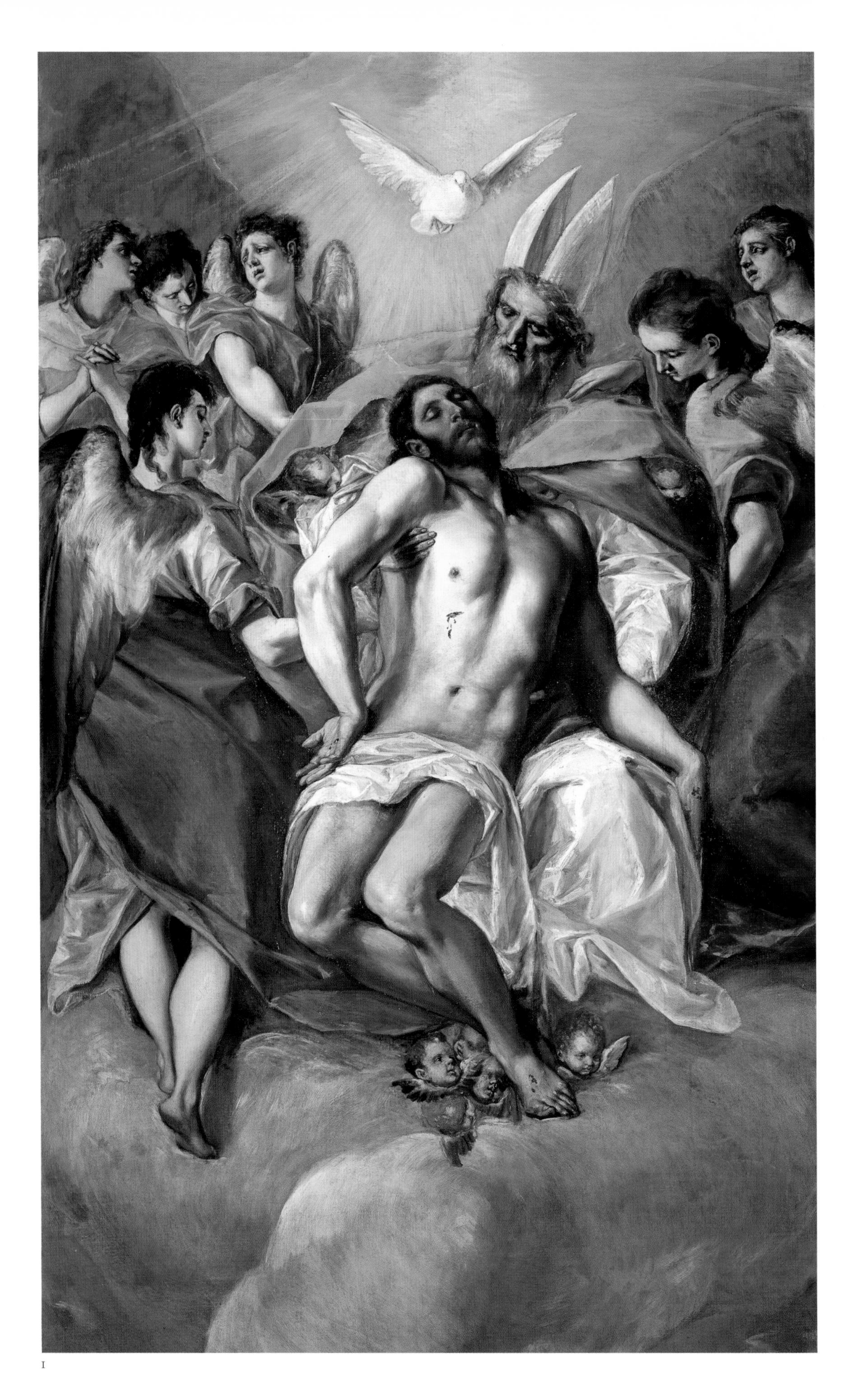

1

1
**Domenikos Theotokopoulos**,
llamado **El Greco**
Kameia, aprox. 1540/1–
Toledo, 1614
*La Trinidad*, aprox. 1577–9
Lienzo, 300 × 179 cm
Adquirido en 1827
Nº de Catálogo 824

Concebida para Santo Domingo el Antiguo, esta obra formó parte de la primera comisión de El Greco al llegar a Toledo en 1577. Ganó gran fama en esa ciudad, que por aquel entonces era artísticamente arcaica, asegurándole un buen porvenir. La composición general se basa en un grabado de Durero, y parece probable que el artista tomó inspiración para la figura de Cristo de *La Piedad* realizada por Miguel Ángel para Vittoria Colonna. La acentuación del tono plomizo del cadáver de Cristo, junto a los pálidos colores de estilo manierista y la composición algo suelta de las figuras, se resuelve en un *pathos* febril.

2
**Domenikos Theotokopoulos**,
llamado **El Greco**
Kameia, aprox. 1540/1–
Toledo, 1614
*La Resurrección*, aprox. 1596–1610
Lienzo, 275 × 127 cm
Procedente del Colegio de Doña María de Aragón, Madrid
Nº de Catálogo 825

Página 30
**Domenikos Theotokopoulos**,
llamado **El Greco**
Kameia, aprox. 1540/1–
Toledo, 1614
*La adoración de los pastores*,
aprox. 1614
Lienzo, 319 × 180 cm
Entró en el Prado en 1954
Nº de Catálogo 2988

Esta obra, destinada por El Greco a su propia capilla sepulcral en Santo Domingo el Antiguo, es un ejemplo excelente del estilo tardío del artista. Los cuerpos alargados parecen casi sin sustancia; los colores fríos y vibrantes se realzan por medio de nerviosas pinceladas; las actitudes exageradas de las figuras comunican una espiritualidad palpable.

2

GLORIA IN EXCE
IN TERRA PA

# VELÁZQUEZ Y EL SIGLO XVII

El Greco murió en 1614, cuando ya aparecían en España los primeros indicios del estilo conocido como el "naturalismo tenebrista" que traería una nueva visión de la realidad pictórica. Su técnica consistía en singularizar detalles tales como pliegues, arrugas, o sutiles características físicas bajo una dura luz teatral, casi de foco, aislándolas y magnificándolas con su fuerte resplandor expresivo a fin de producir el máximo impacto en el espectador. Este primer naturalismo debe mucho a modelos italianos y tal vez ya se insinuaba en el retorno al orden, la claridad y lo inmediato que empezaba a manifestarse en algunos de los artistas de El Escorial, como Federico Zuccaro, Luca Cambiaso, Bartolomé Carducho y Francisco Ribalta.

Ribalta, un catalán de Solsona, que se formó en Castilla pero que se estableció en Valencia, se abrió a la influencia del naturalismo sin renunciar del todo a las lúcidas formas del Renacimiento. El Prado posee algunas de sus obras más importantes. Simultáneamente, en Castilla, varios discípulos de los artistas traídos por Felipe II a El Escorial empezaron a regresar hacia formas del realismo. Las obras de estos artistas, notablemente Vicente Carducho y Juan Bautista Maino, están bien representadas en el Museo. En Sevilla, a la sombra de maestros más viejos, de naturalismo tímido, como Pacheco o Roelas, apenas presentes en el Prado, emergieron artistas más jóvenes como Cano, Velázquez y Zurbarán, quienes producirían obras magistrales dentro de los confines de un naturalismo más estricto.

Pero antes de llegar a la madurez de estos artistas han de mencionarse las obras del pintor valenciano José de Ribera. Ribera emigró a Italia muy joven y nunca volvió a España, mas se le considera tan importante en la historia de la pintura española como lo es en la italiana. Se estableció en Nápoles en 1616 y creó allí un estilo personal, deleitándose en amplias y grandiosas composiciones y en una concepción naturalista y sensual de la forma humana, que se estima como una de las expresiones más potentes del barroco europeo. Patrocinado con entusiasmo por los virreyes españoles de Nápoles, gran parte de su producción acabó en Madrid, guardada en los palacios reales hasta su paso al Prado. Con Ribera se afianza a siglo de Oro de la pintura española.

Zurbarán que, con excepción de un viaje a la corte, trabajó siempre entre su Extremadura natal y Sevilla, pasó sólo los últimos años de su vida en Madrid. Lo esencial de la obra de Zurbarán permanece lejos del Prado, aunque el Museo exhibe una selección importante. Estas obras quizá sean las más representativas del mundo monástico de la Contrarreforma española, un mundo de "pan cortado, vino y estameña", como lo define tan certeramente Rafael Alberti, que queda perfectamente encarnado en sus bodegones.

Velázquez, de carácter totalmente distinto, se estableció en la Corte a partir de 1623 y estuvo estrechamente ligado a todos los aspectos de la vida cortesana. En este ambiente, con acceso a las soberbias colecciones de pintura veneciana y flamenca guardadas en los palacios madrileños, Velázquez no tardó en olvidarse del sobrio tenebrismo de su juventud sevillana. Así logró crear su estilo personal, maduro, que se caracteriza por una inimitable ligereza del pincel, una predilección por una gama de colores fríos, como se demuestra en su uso de tonalidades grises armonizadas, y una suprema sensibilidad en cuanto a composición y a las poses de sus modelos. La obra de Velázquez, el pintor cortesano por excelencia, permaneció casi íntegra en palacio, y el Prado se enorgullece de poseer más de un tercio de su producción total, que sólo aquí puede estudiarse enteramente. Lógicamente, faltan los cuadros de su período naturalista sevillano, con la excepción de la *Adoración de los Reyes* y unos cuantos retratos que sirven para indicar su estilo inicial. Se exhiben todas las fases maduras de Velázquez: sus retratos de reyes, príncipes, favoritos y bufones; sus temas mitológicos; sus cuadros históricos, tales como *La rendición de Breda,* con su soberbia dignidad de composición; sus obras religiosas de suprema elegancia silenciosa; sus paisajes, como *Los jardines de la Villa Médicis* romana, en los que se percibe una sensibilidad más reservada y melancólica; y su magnífico *Las meninas,* es un asombroso símbolo de la relación que existe en toda la pintura entre la apariencia y la realidad y a la vez guardián de su misterioso significado.

La oleada de obras del gran barroco que aparecieron en Madrid durante este período se produjo en parte debido a los proyectos decorativos monásticos y eclesiásticos. Como consecuencia de las leyes desamortizadoras de Mendizábal y la desaparición del Museo de la Trinidad, el Prado recogió muchas de dichas obras; colecciones aumentadas en algún caso por sucesivas compras y donaciones. Los siguientes artistas del período están bien representados: Antonio de Pereda, tan próximo aún al naturalismo en sus obras más distinguidas; Carreño de Miranda, cuyos retratos heredaron algo de la distinción de Velázquez; Herrera el Mozo, de quien las obras muestran elementos decorativos y a la vez dinámicos; Antolínez y Cerezo, delicados coloristas, muertos los dos en plena juventud; y Claudio Coello, con sus amplias imágenes retóricas y su magistral capacidad para comunicar lo inmediato, a la par que lo sublime.

En Sevilla, a partir de 1650, surgieron dos artistas de gran importancia. El primero, Murillo, gozó de gran popularidad durante su tiempo y en los siglos XVIII y XIX, aunque desde entonces su fama ha quedado injustamente algo disminuida porque el gusto moderno considera excesivo el sentimentalismo de sus obras. Esta imagen se debe en parte a la vulgarización de sus composiciones originales, a cargo de sus numerosos seguidores e imitadores y, más recientemente, a las reproducciones en serie de baja calidad. Murillo, pintor de nivel técnico muy alto, notable dibujante y colorista refinado, absorbió la tradición realista de la pintura religiosa de la Contrarreforma y la transformó a través de su estudio de los artistas flamencos, especialmente Van Dyck. El estilo que cultivó fue emocional y decorativo y, aunque algunos lo consideran dulce y superficial, refleja una auténtica piedad y ejerció un verdadero influjo en el mundo popular durante más de dos siglos. Murillo supo desarrollar una manera de expresión pictórica que resulta familiar, sencilla y tierna, que consigue evadir los elementos crudos y desagradables, incluso en aquellas composiciones que representan pícaros y mendigos. En este sentido, Murillo bien podría describirse como un artista pleno de sentimentalismo pero, a pesar de su categorización moderna, las obras que realizó son de una gran calidad y mantienen su importancia en la historia del arte. El Prado posee una importante serie de sus cuadros, gracias, sobre todo, a las compras de la reina Isabel de Farnesio en Sevilla pero también debido a adquisiciones posteriores. Por desgracia, faltan por completo los cuadros de pícaros y mendigos jóvenes, lo más popular de su obra, que es necesario estudiar fuera de España.

1

'elipe Ramírez
'rabaja probablemente en Toledo
'urante el primer tercio del
iglo XVII
*3odegón*
.ienzo, 72 × 92 cm
\dquirido en 1940 con un legado
lel conde de Cartagena
√º de Catálogo 2802

2
**Juan Sánchez Cotán**
Orgaz, 1560–Granada, 1627
*Bodegón de caza, hortalizas y frutas*, 1602
Lienzo, 69 × 88 cm
Procede de la colección del infante Don Sebastián Gabriel de Borbón
Después propiedad de los duques de Hernani
Adquirido en 1993
Nº Catálogo 7612

2

1

2

1
**Bartolomé Carducho**
Florencia, 1554–Madrid, 1608
*El Descendimiento*, 1595
Lienzo, 263 × 181 cm
Ejecutado para la Iglesia de San Felipe el Real de Madrid
Nº de Catálogo 66

2
**Vicente Carducho**
Florencia, 1576/8–Madrid, 1638
*La muerte del Venerable Odón de Novara*, 1632
Lienzo, 342 × 302 cm
Procede de la Cartuja del Paular
Nº de Catálogo 639

1

2

3

1
**Fray Juan Bautista Maino**
Pastrana, 1581–Madrid, 1649
*La recuperación de Bahía del Bras*
*en 1625*, aprox. 1634–5
Lienzo, 309 × 381 cm
Procedente del Salón de Reinos
del palacio del Buen Retiro
Entró en el Prado en 1827
Nº de Catálogo 885

2
**Fray Juan Andrés Rizi**
Madrid, 1600–Monte Casino,
1681
*Don Tiburcio de Redín*
Lienzo, 203 × 124 cm
Colección de Carlos IV
Nº de Catálogo 887

3
**Francisco Collantes**
Madrid, 1559–1656
*San Onofre*
Lienzo, 168 × 108 cm
Colección de Isabel de Farnesio
Nº de Catálogo 3027

4
**Diego Polo**
Burgos, aprox. 1610–
Madrid, 1665
*La caída del maná*
Lienzo, 187 × 238 cm
Procedente de la colección del infante Don Sebastián Gabriel de Borbón
Entró en el Prado en 1982
Nº de Catálogo 6775

5
**Francisco Collantes**
Madrid, 1559–1656
*La visión de Ezequiel, 1630*
Lienzo, 177 × 205 cm
Colección de Felipe IV
Entró en el Prado en 1827
Nº de Catálogo 666

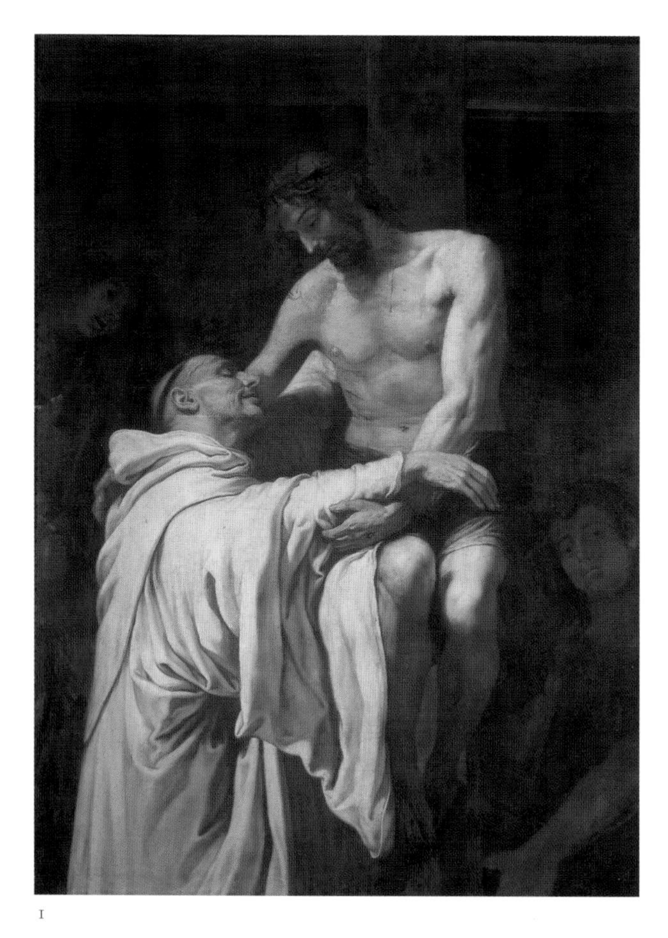

1

2

1
**Francisco Ribalta**
Solsona, 1565–Valencia, 1628
*Cristo abrazando a San Bernardo*
Lienzo, 158 × 113 cm
Adquirido en 1940 con un donativo legado por el conde de Cartagena
Nº de Catálogo 2804

2
**Francisco Ribalta**
Solsona, 1565–Valencia, 1628
*San Francisco consolado por un ángel*
Lienzo, 204 × 158 cm
Colección de Carlos IV
Nº de Catálogo 1062

3
**José de Ribera**
Játiva, 1591–Nápoles, 1652
*El sueño de Jacob*, 1639
Lienzo, 179 × 233 cm
Formaba parte de la colección de Isabel de Farnesio en 1746
Entró en el Prado en 1827
Nº de Catálogo 1117

Esta obra de Ribera es particularmente interesante porque elude la iconografía usual del sueño de Jacob, la imagen tradicional de la escala. Aquí, el sueño se sugiere únicamente por medio de unas vaporosas figuras doradas que bien podrían formar parte del cielo. Mas la postura del durmiente y el juego de luz en su cara confieren a la escena un tono misterioso.

3

4
**José de Ribera**
Játiva, 1591–Nápoles, 1652
*La Trinidad*, aprox. 1635–6
Lienzo, 226 × 181 cm
Adquirido en 1820
Nº de Catálogo 1069

4

1

1
**José de Ribera**
Játiva, 1591–Nápoles, 1652
*El martirio de San Felipe*, 1639(?)
Lienzo, 234 × 234 cm
Colección de Felipe IV
Nº de Catálogo 1101

2
**José de Ribera**
Játiva, 1591–Nápoles, 1652
*Jacob recibiendo la bendición de Isaac*, 1637
Lienzo, 129 × 289 cm
Colección de Carlos II
Nº de Catálogo 1118

3
**José de Ribera**
Játiva, 1591–Nápoles, 1652
*San Andrés*, aprox. 1630–2
Lienzo, 123 × 95 cm
Antes en El Escorial
Entró en el Prado en 1838
Nº de Catálogo 1078

4
**José de Ribera**
Játiva, 1591–Nápoles, 1652
*María Magdalena (¿o Santa Tais?) en el desierto*, aprox. 1640–1
Lienzo, 182 × 149 cm
Procedente de la colección del marqués de los Llanos
En el Palacio Real de Madrid en 1772
Nº de Catálogo 1103

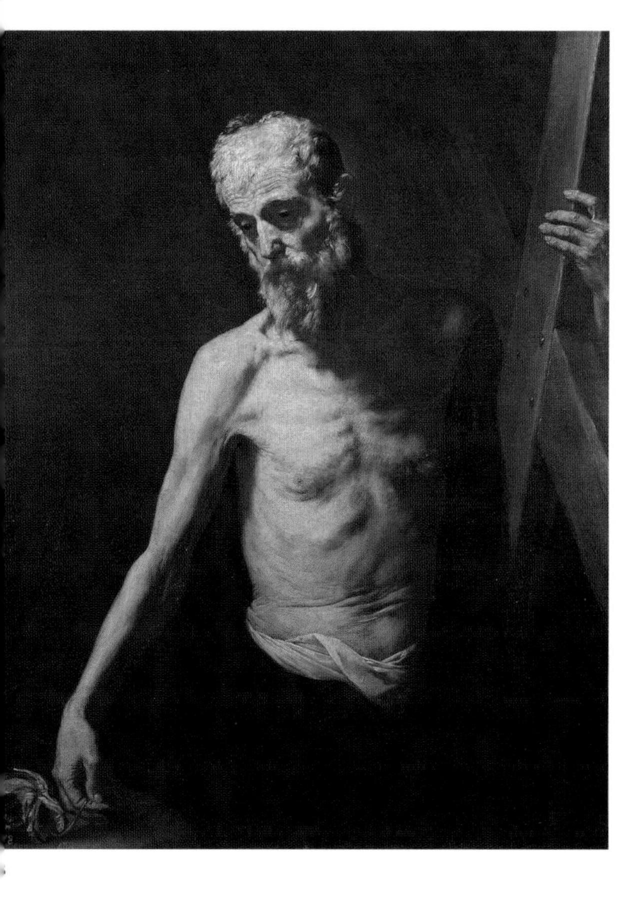

4

**José de Ribera**
Játiva, 1591–Nápoles, 1652
*San Pedro, liberado de la cárcel por un ángel*, 1639
Lienzo, 177 × 232 cm
Formaba parte de la colección de Isabel de Farnesio en 1746
Nº de Catálogo 1073

**José de Ribera**
Játiva, 1591–Nápoles, 1652
*El duelo entre Isabella de Carazzi y Diambra de Pettinella*, 1636
Lienzo, 235 × 212 cm
Colección de Felipe IV(?)
Nº de Catálogo 1124

Ribera es conocido ante todo por sus temas religiosos, pero pintó varias escenas mitológicas e históricas. Este cuadro representa el caso verídico de un desafío entre dos mujeres, Isabella de Carazzi y Diambra de Pettinella, por el amor de Fabio de Zeresola. Es probable que Ribera se sintiese atraído por el carácter insólito o grotesco del acontecimiento; también es posible que le motivase el deseo de satirizar los duelos de honor, que eran un fenómeno corriente en Nápoles durante esa época. El artista emplea el cálido colorido tan típico de sus obras maduras.

1

2

3

1
**Antonio de Pereda**
Valladolid, 1611–Madrid, 1678
*El socorro de Génova,*
aprox. 1634–5
Lienzo, 290 × 370 cm
Procedente del Salón de Reinos
del palacio del Buen Retiro
Donado al Prado en 1912 por
Marzel de Nemes
Nº de Catálogo 1317

5

2
**Antonio de Pereda**
Valladolid, 1611–Madrid, 1678
*San Jerónimo, 1643*
Lienzo, 105 × 84 cm
Procedente del palacio
de Aranjuez
Nº de Catálogo 1046

3
**Antonio de Pereda**
Valladolid, 1611–Madrid, 1678
*Cristo, Varón de Dolores,* 1641
Lienzo, 97 × 78 cm
Procedente del Museo de
la Trinidad
Nº de Catálogo 1047

4
**José Leonardo**
Calatayud, 1601–Zaragoza, antes
de 1653
*San Sebastián*
Lienzo, 192 × 58 cm
Formaba parte de la colección
de Isabel de Farnesio en 1746
Nº de Catálogo 67

5
**José Leonardo**
Calatayud, 1601–Zaragoza, antes
de 1653
*El nacimiento de la Virgen,* 1640
Lienzo, 180 × 122 cm
Entró en el Museo de la Trinidad
en 1864
Nº de Catálogo 860

1

1
**Diego Velázquez de Silva**
Sevilla, 1599–Madrid, 1660
*Los borrachos o El triunfo de Baco*
Lienzo, 165 × 225 cm
Colección de Felipe IV
Nº de Catálogo 1170

2
**Diego Velázquez de Silva**
Sevilla, 1599–Madrid, 1660
*Apolo en la fragua de Vulcano,* 1630
Lienzo, 223 × 290 cm
Adquirido para Felipe IV en 1634
Nº de Catálogo 1171

3
**Diego Velázquez de Silva**
Sevilla, 1599–Madrid, 1660
*Los jardines de la Villa Médicis, en Roma,* aprox. 1650–1
Lienzo, 44 × 38 cm
Colección de Felipe IV
Nº de Catálogo 1211

4
**Diego Velázquez de Silva**
Sevilla, 1599–Madrid, 1660
*Los jardines de la Villa Médicis, en Roma,* aprox. 1650/51
Lienzo, 48 × 42 cm
Colección de Felipe IV
Nº de Catálogo 1210

4

**Diego Velázquez de Silva**
Sevilla, 1599–Madrid, 1660
*La rendición de Breda*, antes de 1635
Lienzo, 307 × 367 cm
Procedente del Salón de Reinos del palacio del Buen Retiro
Nº de Catálogo 1172

Velázquez no presenció la rendición de la ciudad de Breda en persona, pero tuvo acceso a un grabado realizado por Jacques Callot poco después del sitio (en 1625) y en su primer viaje a Italia en 1629 conoció a Spínola, el general victorioso. El cuadro se encuentra totalmente libre del sensacionalismo y la dramatización que eran tan típicos de la pintura barroca histórica de la época, y contrasta de forma impresionante con obras tales como *El encuentro del cardenal-infante Don Fernando y el rey de Hungría en Nördlingen* de Rubens.

El recurso por el cual crea el paisaje, para dejarlo extendido por detrás, como un mapa, recuerda las obras de Peeter Snayers. No obstante, por reconocible que sea, carece de la precisión topográfica de algunas de las otras contribuciones al Salón de Reinos, y en efecto no constituye más que un fondo borroso para las figuras. El cielo que se despeja y las columnas de humo que se desvanece quizá tengan la función de evocar la batalla recién acabada. La variedad de personajes, la oposición entre los dos grupos, la contraposición de las lanzas enhiestas de los vencedores frente a la oblicuidad y reposo de las de los vencidos recrean la escena con una convicción extraordinaria y transmiten la impresión de que está ocurriendo ahora, como si el observador estuviese presente junto al artista; en cierto modo hay una anticipación del tema de *Las meninas*.

**Diego Velázquez de Silva**
Sevilla, 1599–Madrid, 1660
*El príncipe Baltasar Carlos a caballo*, aprox. 1635–6
Lienzo, 209 × 173 cm
Procedente del Salón de Reinos del palacio del Buen Retiro
Nº de Catálogo 1180

Junto con otros cuatro retratos ecuestres de Velázquez, además de un ciclo de trece escenas de batalla de Cajés, Maino, Zurbarán, Carducho, Castello, Leonardo y Pereda, y también una serie de Historias de Hércules, de Zurbarán, este cuadro representaba una anécdota humana –es el príncipe heredero– en medio del inmenso esquema decorativo del Salón de Reinos del palacio del Buen Retiro. El proyecto fue patrocinado por el conde-duque de Olivares, con el fin de afirmar la gloria de la monarquía española durante lo que era en realidad un período que iniciaba su decadencia. Este retrato, por muy convencional que sea, lo realizó Velázquez con su convicción de siempre, y con toques de empaste brillantemente sugestivos.

1

2

1
**Diego Velázquez de Silva**
Sevilla, 1599–Madrid, 1660
*La reina Doña Mariana de Austria,* aprox. 1652–3
Lienzo, 231 × 131 cm
Colección de Felipe IV
Nº de Catálogo 1191

2
**Diego Velázquez de Silva**
Sevilla, 1599–Madrid, 1660
*Pablo de Valladolid,* aprox. 1632
Lienzo, 209 × 123 cm
Colección de Felipe IV (procedente del apartamento de la reina del palacio del Buen Retiro)
Nº de Catálogo 1198

3
**Diego Velázquez de Silva**
Sevilla, 1599–Madrid, 1660
*Las meninas,* 1656
Lienzo, 316 × 276 cm
Colección de Felipe IV
Nº de Catálogo 1174

*Las meninas* es más que un retrato, o incluso que un retrato de un retratista practicando su arte. Puerde leerse como una declaración en pintura de la dignidad intelectual del arte. Sabemos que a Velázquez siempre le preocupaba su rango en la corte y que debe haber asimilado gran parte del tratado *El arte de la pintura,* escrito por su suegro, Francisco Pacheco, sobre la nobleza de la pintura. Por consiguiente, pone al rey y a la reina, quienes, por ambiguo que sea el método, están claramente presentes, como testigos del pintor en pleno acto creativo. El artista se representa a sí mismo pausado, para demostrar que la pintura no sólo requiere actuación sino también reflexión.

Las figuras del cuadro parecen sorprendidas entre una postura y la que sigue, en un efecto de instantaneidad que los impresionistas, y sobre todo Degas, buscarían con tanto ahínco 200 años más tarde. Otros pintores intentarían igualar o mejorar el extraordinario ilusionismo del espacio que habitan. La ingeniosa capacidad que tenía Velázquez de evocar el espacio ya era aparente en obras anteriores como *La rendición de Breda*; aquí, con el recurso de colocar al rey y a la reina reflejados en un espejo, extiende el orden espacial del cuadro para incluir al espectador. El cuadro alcanza la consumación de la ficción o el ilusionismo espacial barroco, y es una manifestación singular del poder del arte tanto para comunicar lo que es real como para imaginar lo que no lo es por naturaleza.

3

1

1
**Diego Velázquez de Silva**
Sevilla, 1599–Madrid, 1660
*El conde-duque de Olivares montado a caballo,* aprox. 1634
Lienzo, 313 × 239 cm
Adquirido por Carlos III en 1769, procedente de la colección del marqués de La Ensenada
Nº de Catálogo 1181

2
**Diego Velázquez de Silva**
Sevilla, 1599–Madrid, 1660
*Las hilanderas,* aprox. 1657
Lienzo, 220 × 289 cm
(Dimensiones originales, 164 × 250 cm)
Formaba parte de la colección de Don Pedro de Arce en 1664; más tarde en la colección real
Nº de Catálogo 1173

La parte pintada por Velázquez es la menor; el lienzo se, restauró y agrandó en el siglo XVII. Aqui se muestra lo que se mantiene del original. A pesar de la polémica que ha habido en cuanto al significado de *Las hilanderas,* la esencia del cuadro parece bastante clara.
Al igual que Velázquez sitúa campesinos con Baco en *Los borrachos,* aquí emplaza a Minerva frente a Aracné, quien tuvo la osadía de competir con ella, en el contexto de hilanderas auténticas. Es posible que la escena refleje una escena cotidiana de la manufactura de retupido de tapices de Santa Isabel, en Madrid. Minerva, disfrazada de anciana, compite con Aracné en primer término; al fondo acontece la segunda secuencia de la historia, cuando Minerva castiga a Aracné por su atrevimiento.

Velázquez transmite su laboriosidad con sorprendente inmediatez, que parece unir el zumbido de las ruecas de hilar con los cambios de color en la luz. Contrasta con la muda suspensión y el movimiento paralizado de *Las meninas.* Sin embargo, lo que tienen en común ambos cuadros, y también ciertas obras anteriores de Velázquez, es esta ambigüedad en su manejo del espacio, con el que deliberadamente fascina al espectador.

3
**Diego Velázquez de Silva**
Sevilla, 1599–Madrid, 1660
*Felipe IV de España*, antes de 1628
Lienzo, 201 × 102 cm
Colección de Felipe IV
Nº de Catálogo 1182

1

1
**Diego Velázquez de Silva**
Sevilla, 1599–Madrid, 1660
*Felipe IV de cazador,*
aprox. 1634–5
Lienzo, 191 × 126 cm
Encargado por Felipe IV para la Torre de la Parada
Nº de Catálogo 1184

2
**Diego Velázquez de Silva**
Sevilla, 1599–Madrid, 1660 y
**Juan Bautista Martínez del Mazo**
Beteta(?), 1615–Madrid, 1667
*La infanta Doña Margarita de Austria,* aprox. 1660
Lienzo, 212 × 147 cm
Colección de Felipe IV
Nº de Catálogo 1192

1

2

1
**Diego Velázquez de Silva**
Sevilla, 1599–Madrid, 1660
*El enano Don Juan Calabazas, llamado Calabacillas*, aprox. 1639
Lienzo, 106 × 83 cm
Colección de Felipe IV (procedente del apartamento de la reina del palacio del Buen Retiro)
Nº de Catálogo 1205

Los enanos, bobos y bufones abundaban en la corte de Felipe IV. El rey los mantenía según una tradición que databa de la Edad Media. La tradición fue motivada por caridad, pero muchos "bobos" llegaron a ser estimados por su ingenio, despertando gran afecto y a veces haciéndose muy famosos. Ya que no se les tomaba en serio, poseían licencia para parodiar y burlarse de la etiqueta con que tenían que conformarse los cortesanos y la realeza; por consiguiente fueron muy populares en la rígida corte de Felipe IV.

Al retratarles, Velázquez utilizó una serie de recursos muy sutiles: en este caso es especialmente interesante el modo en que la luz vacila incierta sobre la mueca de Calabacillas, mostrando su vista defectuosa. Aquí Velázquez anticipa, o puede haber influido, en ciertas técnicas que emplearía Goya siglo y medio más tarde.

2
**Diego Velázquez de Silva**
Sevilla, 1599–Madrid, 1660
*Marte, dios de la Guerra*, 1640
Lienzo, 179 × 95 cm
Encargado por Felipe IV para la Torre de la Parada, pabellón de caza de El Pardo
Entró en el Prado después de 1827
Nº de Catálogo 1208

3

3
**Diego Velázquez de Silva**
Sevilla, 1599–Madrid, 1660
*San Antonio Abad y San Pablo, primer ermitaño*, aprox. 1642
Lienzo, 257 × 188 cm
Realizado para la ermita de San Pablo en los jardines del palacio del Buen Retiro
Nº de Catálogo 1169

1

2

1
**Diego Velázquez de Silva**
Sevilla, 1599–Madrid, 1660
*El bufón llamado Don Juan de Austria*, aprox. 1632–5
Lienzo, 210 × 123 cm
Colección de Felipe IV (procedente del apartamento de la reina del palacio del Buen Retiro)
Nº de Catálogo 1200

2
**Diego Velázquez de Silva**
Sevilla, 1599–Madrid, 1660
*Esopo*, 1640
Lienzo, 179 × 94 cm
Encargado por Felipe IV para la Torre de la Parada
Entró en el Prado después de 1827
Nº de Catálogo 1206

3

4

5

3
**Diego Velázquez de Silva**
Sevilla, 1599–Madrid, 1660
*El enano Francisco Lezcano, llamado el Niño de Vallecas*, aprox. 1637
Lienzo, 107 × 83 cm
Encargado por Felipe IV para la torre de la Parada
Entró en el Prado después de 1827
Nº de Catálogo 1204

4
**Diego Velázquez de Silva**
Sevilla, 1599–Madrid, 1660
*Juan Martínez Montañés*, aprox. 1635
Lienzo, 109 × 107 cm
Formaba parte de la colección real en el siglo XVIII
En la quinta del duque del Arco en 1794
Nº de Catálogo 1194

5
**Juan Bautista Martínez del Mazo**
Beteta(?), 1615–Madrid, 1667
*La emperatriz Doña Margarita de Austria vestida de luto*, 1666
Lienzo, 209 × 147 cm
Entró en el Prado en 1847
Nº de Catálogo 888

1

2

1
**Juan Bautista Martínez del Mazo**
Beteta(?), 1615–Madrid, 1667
*Vista de Zaragoza*, 1547(?)
Lienzo, 181 × 331 cm
Encargado por el príncipe
Baltasar Carlos
Colección de Felipe IV
Nº de Catálogo 889

2
**Mateo Cerezo**
Burgos, aprox. 1626–
Madrid, 1666
*Los desposorios místicos de Santa Catalina*, 1660
Lienzo, 207 × 163 cm
Adquirido para Fernando VII de
la colección de Don José
Antonio Ruiz
Nº de Catálogo 659

3

3
**Juan Martín Cabezalero**
Almadén (Ciudad Real), 1633–
Madrid, 1673
*La Asunción de la Virgen*
Lienzo, 237 × 169 cm
Procedente del palacio de
Aranjuez
Nº de Catálogo 658

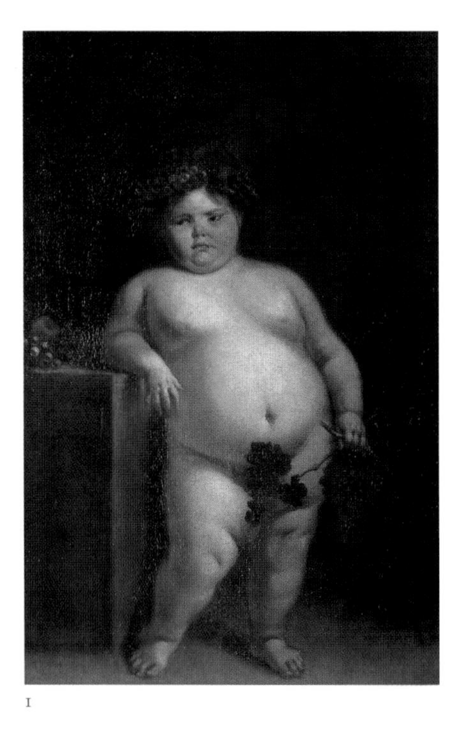

1

2

3

1
**Juan Carreño de Miranda**
Avilés, 1614–Madrid, 1685
*La monstrua desnuda (Eugenia Martínez Vallejo desvestida)*
Lienzo, 165 × 108 cm
Colección de Carlos II
Nº de Catálogo 2800

2
**Juan Carreño de Miranda**
Avilés, 1614–Madrid, 1685
*Eugenia Martínez Vallejo, llamada La monstrua*
Lienzo, 165 × 107 cm
Colección de Carlos II
Nº de Catálogo 646

3
**Juan Carreño de Miranda**
Avilés, 1614–Madrid, 1685
*El embajador ruso Piotr Ivanowitz Potemkin*, 1681
Lienzo, 204 × 120 cm
Colección de Carlos II
Nº de Catálogo 645

**Claudio Coello**
Madrid, 1642–93
*El triunfo de San Agustín*, 1664
Lienzo, 271 x 203 cm
Procedente del Convento de los Agustinos Recoletos de Alcalá de Henares; entró en el Museo de la Trinidad en 1836
Nº de Catálogo 664

Coello, que era de origen portugués, se convirtió en uno de los principales exponentes de la escuela barroca madrileña del siglo XVII, habiendo asimilado la influencia de Carreño y la pintura flamenca. El cuadro, de grandes dimensiones, exhibe unas características muy típicas del artista, tales como el eje diagonal de las figuras, que hace resaltar el movimiento tan dinámico del santo, así como el hecho de que se desarrolle en una escenografía teatral de arquitectura clásica. Los sensuales y suntuosos colores recuerdan a Rubens, y no queda duda de que Coello fue influido por sus obras, ya que había muchas en la colección real.

**Francisco de Zurbarán**
Fuente de Cantos, 1598–
Madrid, 1664
*La defensa de Cádiz contra los ingleses*, 1634
Lienzo, 302 × 323 cm
Procedente del Salón de Reinos
del palacio del Buen Retiro
Nº de Catálogo 656

1
**Francisco de Zurbarán**
Fuente de Cantos, 1598–
Madrid, 1664
*Santa Isabel*, 1640
Lienzo, 184 × 90 cm
Formaba parte de la colección real a finales del siglo XVIII
Nº de Catálogo 1239

2
**Francisco de Zurbarán**
Fuente de Cantos, 1598–
Madrid, 1664
*La Inmaculada Concepción*, aprox. 1630–5
Lienzo, 139 × 104 cm
Adquirido en 1956
Nº de Catálogo 2992

3
**Francisco de Zurbarán**
Fuente de Cantos, 1598–
Madrid, 1664
*Bodegón*
Lienzo, 46 × 84 cm
Donado en 1940 por Don Francisco Cambó
Nº de Catálogo 2803

1

2

1
**Antonio del Castillo**
Córdoba, 1616–68
*José y sus hermanos*
Lienzo, 109 × 145 cm
Entró en el Museo de la Trinidad en 1863
Nº de Catálogo 951

2
**Alonso Cano**
Granada, 1601–67
*Cristo muerto sostenido por un ángel*, aprox. 1646–52
Lienzo, 178 × 121 cm
Adquirido para Carlos III en 1769 de la colección del marqués de la Ensenada
Nº de Catálogo 629

3
**Alonso Cano**
Granada, 1601–67
*El milagro del pozo*, aprox. 1546–8
Lienzo, 216 × 149 cm
Entró en el Prado en 1941
Nº de Catálogo 2806

**Bartolomé Esteban Murillo**
Sevilla, 1618–82
*La adoración de los pastores,*
aprox. 1650–5
Lienzo, 187 × 228 cm
Adquirido para Carlos III en
1764 de la colección Kelly
Entró en el Prado en 1819
Nº de Catálogo 961

Murillo, como Velázquez y Ribera, es uno de los pocos artistas españoles de renombre internacional. Incluso durante la vida de Murillo se exportaban sus escenas de género a Flandes. Sin embargo, sus obras despertaron mucho más interés a principios del siglo XIX, período en que, como consecuencia de la invasión napoleónica de España, los agentes de coleccionistas franceses y de otras naciones pudieron adquirir y exportar cuadros de otro tipo que también había pintado.

Esta obra, realizada hacia el principio de su carrera, refleja las características típicas de la escuela sevillana, con las que Murillo se formó. Se acentúa el detalle claro, realzado por los contrastes de sombra y luz. El punto de vista alto crea la impresión de que el espectador acaba de irrumpir en la escena representada. Tales efectos de intimidad e inmediatez eran típicos de los fines del estilo barroco de la Contrarreforma.

1

2

3

1
**Bartolomé Esteban Murillo**
Sevilla, 1618–82
*El martirio de San Andrés*, aprox. 1675–82
Lienzo, 123 × 162 cm
Colección de Carlos IV
Nº de Catálogo 982

2
**Bartolomé Esteban Murillo**
Sevilla, 1618–82
*El buen pastor*, aprox. 1660
Lienzo, 123 × 161 cm
Formaba parte de la colección de Isabel de Farnesio en 1746
Nº de Catálogo 962

3
**Bartolomé Esteban Murillo**
Sevilla, 1618–82
*La Sagrada Familia*, antes de 1650
Lienzo, 144 × 188 cm
Ya era parte de la colección de Isabel de Farnesio en 1746
Nº de Catálogo 960

1

2

1
**Bartolomé Esteban Murillo**
Sevilla, 1618–82
*La fundación de Sta. María Maggiore de Roma: El sueño del patricio*, aprox. 1662–5
Lienzo, 232 × 522 cm
Entró en el Prado en 1901
Nº de Catálogo 994

2
**Bartolomé Esteban Murillo**
Sevilla, 1618–82
*La fundación de Sta. María Maggiore de Roma: El patricio revela su sueño al Papa*, aprox. 1662–5
Lienzo, 232 × 522 cm
Entró en el Prado en 1901
Nº de Catálogo 995

Ambos proceden de la Iglesia de Santa María la Blanca de Sevilla. Robados por el Mariscal Soult. Regresaron a España y se depositaron en la Real Academia de San Fernando.

**Bartolomé Esteban Murillo**
Sevilla, 1618–82
*La Inmaculada de Soult,*
aprox. 1678
Lienzo, 274 × 190 cm
Ejecutado para la Iglesia del
Hospital de Venerables
Sacerdotes de Sevilla
Llevado a Francia en 1813 por el
Mariscal Soult
Devuelto al Prado en 1941
Nº de Catálogo 2809

1

2

1
**Bartolomé Esteban Murillo**
Sevilla, 1618–82
*La Virgen del rosario,*
aprox. 1650–5
Lienzo, 164 × 110 cm
Colección de Carlos IV
Nº de Catálogo 975

2
**Bartolomé Esteban Murillo**
Sevilla, 1618–82
*Retrato de un caballero con gola,*
aprox. 1670
Lienzo, 198 × 127 cm
Adquirido en 1941
Nº de Catálogo 2845

3
**Francisco de Herrera el Mozo**
Sevilla, 1622–Madrid, 1685
*El triunfo de San Hermenegildo*
Lienzo, 328 × 229 cm
Procedente del Convento de los Carmelitas Descalzos de Madrid
Entró en el Prado en 1832
Nº de Catálogo 83

4
**Ignacio Iriarte**
Santa María de Azcoitia, 1621–Sevilla, 1685
*Paisaje con torrente,* 1665
Lienzo, 112 × 198 cm
Donado en 1952 por el Sr. Frederick Mont
Nº de Catálogo 836

3

4

# GOYA Y EL SIGLO XVIII

Hasta hace poco, el siglo XVIII se consideraba un período de interés menor para la pintura española. Se abre con artistas que aún trabajan en el estilo barroco decorativo del siglo anterior. Los cuadros de Palomino, más conocido como el gran biógrafo de los artistas españoles, siguen la manera de Coello y reflejan la influencia de Luca Giordano; representan la obra de la escuela madrileña de aquella época. El siglo continúa con el enérgico desarrollo de la influencia artística francesa e italiana introducida por los Borbones. Dicha influencia se limitó inicialmente a los ambientes cortesanos pero más tarde abarcó toda España como resultado de la creación de las academias – iniciada con la fundación de la Real de San Fernando en 1752. Las academias institucionalizaron el viaje a Roma y unificaron la producción de los artistas contemporáneos, quienes, a decir verdad, tampoco mostraron demasiada perspectiva creadora.

Antes de llegar al fenómeno de Goya, que cierra el siglo de manera tan extraordinaria, han de mencionarse otros dos artistas cuyas obras se singularizan entre la discreta medianía de sus contemporáneos. El primero es Meléndez, el pintor de bodegones, cuyas exquisitas representaciones de cacharros, creadas con una objetividad minuciosa y obsesiva, reflejan la herencia naturalista del siglo anterior. El segundo es Luis Paret, de padre francés, cuyas obras poseen una fragilidad aporcelanada, vivazmente interpretada con una técnica preciosista, casi de miniatura, que funde lo mejor del rococó francés e italiano. La obra de Paret, estricto contemporáneo de Goya, consiste en cuadritos de gabinete, temas costumbristas y escenas cortesanas que reflejan una variada y encantadora sensibilidad. Ambos autores están bien representados en el Museo.

La aparición de Francisco José Goya no sólo redime por entero la pintura española del siglo XVIII, sino que anticipa algunas de las formas más interesantes del arte moderno, tales como el surrealismo y el impresionismo. Aunque su formación y producción artística inicial se efectuaron fuera de Madrid, su matrimonio con la hermana de Francisco Bayeu, artista favorecido por la corte, y su nombramiento en 1785 como pintor del rey, le convirtieron en el retratista oficial de palacio. Goya disfrutó de una posición especial en la corte, hecho que determinó que el Prado heredara directamente una parte importante de su obra, incluso los retratos oficiales y los cuadros históricos. Estos últimos se basan en su experiencia personal de la guerra y transcienden la representación patriótica y heroica para crear una salvaje denuncia de la crueldad humana.

El Prado también posee sus bellos cartones para tapices, que reflejan lo más gozoso y popular de su obra con gran finura y energía tanto en su composición como en su colorido. Esta ligereza de tonos a veces va combinada con un mordaz sentido del humor, una aguda observación de la realidad externa y algún que otro toque de ironía. Por último, el Prado posee las célebres "pinturas negras", en las que, a los 74 años, Goya, viejo, sordo y solitario, expresó a través de la implacable representación de la inutilidad humana, su amargado pesimismo. Tomadas en conjunto, las obras de Goya forman la colección más variada y numerosa de todo el Museo. Apenas parece necesario señalar que el estudio de este repertorio es imprescindible para entender su genio.

1

2

1
**Luis Egidio Meléndez**
Nápoles, 1716–Madrid, 1780
*Bodegón*, 1772
Lienzo, 42 × 62 cm
Colección de Carlos III
Nº de Catálogo 902

2
**Luis Paret y Alcázar**
Madrid, 1746–98 ó 1799
*Ramo de flores*
Lienzo, 39 × 37 cm
Colección de Carlos IV
Nº de Catálogo 1043

1

1
**Luis Paret y Alcázar**
Madrid, 1746–98 ó 1799
*Carlos III, almorzando ante su corte*, aprox. 1770
Tabla, 50 × 64 cm
Supuestamente procede del palacio de Gatchina, en Rusia
Adquirida con un donativo legado por el conde de Cartagena
Nº de Catálogo 2422

Paret es el representante más distinguido del estilo rococó español. Retrata a los aristócratas y a los miembros de la alta burguesía de su día con finura y elegancia estudiadas. Influido por las escuelas veneciana y francesa del siglo XVIII, desarrolló una técnica personal que combina texturas transparentes de toque de pincel atinado y algo libre con colores claros y vaporosos. Presenta sus escenas y paisajes en una atmósfera soñadora, tenuemente imbuida de ironía.

2
**Francisco Bayeu**
Zaragoza, 1734–Madrid, 1795
*El Olimpo: La batalla con los gigantes*, 1764
Lienzo, 68 × 123 cm
Adquirido por Fernando VII para el Prado
Nº de Catálogo 604

3
**Luis Paret y Alcázar**
Madrid, 1746–1798 ó 1799
*María Nieves Micaela Fourdinier, la esposa del artista*, aprox. 1780
Cobre, 37 × 28 cm
Adquirido en 1974
Nº de Catálogo 3250

2

3

1

1
**Antonio Carnicero**
Salamanca, 1748–Madrid, 1814
*Un globo Montgolfier en Aranjuez,* aprox. 1764
Lienzo, 170 × 284 cm
Adquirido de la colección del duque de Osuna en 1896
Nº de Catálogo 641

2
**José Camarón**
Segorbe, 1730–Valencia, 1803
*Bailando el bolero,* aprox. 1790
Lienzo, 83 × 108 cm
Adquirido en 1980 de la colección del príncipe de Hohenlohe en el Quexigal, Madrid
Nº de Catálogo 6732

2

3

3
**Francisco de Goya**
Fuendetodos, 1746–Burdeos, 1828
*Autorretrato*, 1815
Lienzo, 46 × 35 cm
Adquirido para el Museo de la Trinidad en 1866
Entró en el Prado en 1872
Nº de Catálogo 723

En esta visión rigurosa y melancólica de su rostro, Goya parece intentar expresar su paciencia frente al sufrimiento y la desilusión.

1

2

1
**Francisco de Goya**
Fuendetodos, 1746–Burdeos, 1828
*La maja y los embozados*, 1777
Lienzo, 275 × 190 cm
Procedente del Palacio Real de Madrid
Entró en el Prado en 1870
Nº de Catálogo 771

2
**Francisco de Goya**
Fuendetodos, 1746–Burdeos, 1828
*El cacharrero*, 1779
Lienzo, 259 × 220 cm
Procedente del Palacio Real de Madrid
Entró en el Prado en 1870
Nº de Catálogo 780

1

2

1
**Francisco de Goya**
Fuendetodos, 1746–Burdeos, 1828
*El quitasol*, 1777
Lienzo, 104 × 152 cm
Procedente del Palacio Real de Madrid
Entró en el Prado en 1870
Nº de Catálogo 773

Este lienzo fue ejecutado como cartón para un tapiz que colgaría encima de una de las puertas del comedor de los Príncipes de Asturias en el Pardo. Goya trabajó repetidas veces para la fábrica de tapices de Sta. Bárbara desde 1775 hasta 1792, en comisiones reales de este género. La serie de cartones que realizó permite seguir la evolución de fórmulas artísticas desde unas representaciones ortodoxas y cortesanas, aptas para la decoración de los palacios, hacia una expresión más individualista. Se trata de un proceso en que el artista pasa sutil y gradualmente de la delicada anécdota rebuscada a la gracia manifiesta que a veces se enlaza con descarada ironía.

2
**Francisco de Goya**
Fuendetodos, 1746–Burdeos, 1828
*El verano o La era*, 1786
Lienzo, 276 × 641 cm
Procedente del Palacio Real de Madrid
Entró en el Prado en 1870
Nº de Catálogo 7943

3
**Francisco de Goya**
Fuendetodos, 1746–Burdeos, 1828
*El otoño o La Vendimia*, 1786
Lienzo, 275 × 190 cm
Procedente del Palacio Real de Madrid
Entró en el Prado en 1870
Nº de Catálogo 795

**Francisco de Goya**
Fuendetodos, 1746–Burdeos, 1828
*La gallina ciega*, 1789
Lienzo, 269 × 350 cm
Procedente del Palacio Real
de Madrid
Entró en el Prado en 1870
Nº de Catálogo 804

1

2

3

1
**Francisco de Goya**
Fuendetodos, 1746–Burdeos, 1828
*La pradera de San Isidro,* 1788
Lienzo, 44 × 94 cm
Adquirido de la colección del duque de Osuna en 1896
Nº de Catálogo 750

2
**Francisco de Goya**
Fuendetodos, 1746–Burdeos, 1828
*El prendimiento de Cristo,* aprox. 1788–98
Lienzo, 40 × 23 cm
Adquirido en 1966
Nº de Catálogo 3113

3
**Francisco de Goya**
Fuendetodos, 1746–Burdeos, 1828
*Los juglares,* 1793(?)
Hojalata, 43 × 32 cm
Adquirida en 1962
Nº de Catálogo 3045

I

1
**Francisco de Goya**
Fuendetodos, 1746–Burdeos, 1828
*Los duques de Osuna y sus hijos,*
1788
Lienzo, 225 × 174 cm
Donado al Prado en 1897 por los descendientes del duque de Osuna
Nº de Catálogo 739

Varias grandes familias españolas, entre ellas los Osuna, encargaron obras a Goya. Su retrato colectivo muestra notable sensibilidad y gran acierto. Los niños, con sus frágiles figuras y la curiosidad infantil de sus miradas transparentes, son inolvidables (es interesante notar, además, que el que está sentado sería un futuro Director del Prado). La composición es sencilla y prescinde del fondo escenográfico de la casa, que sirve para aumentar la intimidad – a la vez realzada por el delicado colorido gris plateado.

2
**Francisco de Goya**
Fuendetodos, 1746–Burdeos, 1828
*Carlos III, de cazador,*
aprox. 1786–8
Lienzo, 210 × 127 cm
Colección de Carlos III
Nº de Catálogo 737

2

1

2

1
**Francisco de Goya**
Fuendetodos, 1746–Burdeos, 1828
*Doña María Teresa de Borbón y Vallabriga, condesa de Chinchón,* 1800
Lienzo, 216 × 144 cm
Adquirido en 2000

Hija del infante don Luis de Borbón, hermano de Carlos III, fue casada en 1797 con Manuel Godoy, príncipe de la Paz y ministro de Carlos IV. Goya retrata a la condesa encinta, esperando a su primer hijo, que sería la infanta Carlota. Tímida, exquisita y elegante ofrece una imagen inolvidable que la eleva al rango de obra maestra.

2
**Francisco de Goya**
Fuendetodos, 1746–Burdeos, 1828
*Doña Josefa Bayeu de Goya, la esposa del artista(?),*
aprox. 1790–8
Lienzo, 81 × 56 cm
Adquirido en 1866 para el Museo de la Trinidad
Entró en el Prado en 1872
Nº de Catálogo 722

3
**Francisco de Goya**
Fuendetodos, 1746–Burdeos, 1828
*El marqués de Villafranca,* 1795
Lienzo, 195 × 126 cm
Legado en 1926 por el conde de Niebla
Nº de Catálogo 2449

3

1

2

1
**Francisco de Goya**
Fuendetodos, 1746–Burdeos, 1828
*La marquesa de Santa Cruz*, 1805
Lienzo, 125 × 207 cm
Adquirido en 1986
Nº de Catálogo 7070

2
**Francisco de Goya**
Fuendetodos, 1746–Burdeos, 1828
*Bodegón*, aprox. 1808–12
Lienzo, 45 × 63 cm
Adquirido en 1900
Nº de Catálogo 751

3
**Francisco de Goya**
Fuendetodos, 1746–Burdeos, 1828
*La reina María Luisa con mantilla*, 1799
Lienzo, 209 × 125 cm
Formaba parte de la colección real a principios del siglo XIX
Nº de Catálogo 728

1

2

1
**Francisco de Goya**
Fuendetodos, 1746–Burdeos, 1828
*El infante Don Francisco de Paula Antonio*, 1800
Lienzo, 74 × 60 cm
Colección Carlos IV
Nº de Catálogo 730

2
**Francisco de Goya**
Fuendetodos, 1746–Burdeos, 1828
*Carlos IV con su familia*, 1800
Lienzo, 280 × 336 cm
Colección de Carlos IV
Nº de Catálogo 726

1

2

1
**Francisco de Goya**
Fuendetodos, 1746–Burdeos, 1828
*La maja desnuda*, aprox. 1800–3
Lienzo, 97 × 190 cm
Procedente de la colección de la Real Academia de San Fernando
Entró en el Prado en 1901
Nº de Catálogo 742

2
**Francisco de Goya**
Fuendetodos, 1746–Burdeos, 1828
*La maja vestida*, aprox. 1800–3
Lienzo, 95 × 190 cm
Procedente de la colección de la Real Academia de San Fernando
Entró en el Prado en 1901
Nº de Catálogo 741

3
**Francisco de Goya**
Fuendetodos, 1746–Burdeos, 1828
*La maja desnuda* (detalle)

3

**Francisco de Goya**
Fuendetodos, 1746–Burdeos, 1828
*El dos de mayo de 1808: la lucha contra los mamelucos,* 1814
Lienzo, 266 × 345 cm
Colección de Fernando VII
Nº de Catálogo 748

**Francisco de Goya**
Fuendetodos, 1746–Burdeos, 1828
*El tres de mayo de 1808: los fusilamientos en la montaña del Príncipe Pío*, 1814
Lienzo, 266 × 345 cm
Colección de Fernando VII
Nº de Catálogo 749

1

1

**Francisco de Goya**
Fuendetodos, 1746–Burdeos, 182
*El coloso*, aprox. 1808–12
Lienzo, 116 × 105 cm
Legado en 1930 por Don Pedro Fernández Durán
Nº de Catálogo 2785

Las célebres "pinturas negras" d Goya reciben su nombre por su espantoso contenido y no por su colorido. Goya las pintó sobre la paredes interiores de su casa, llamada la Quinta del Sordo, a orillas del Manzanares. Una vez desprendidas, fueron pasadas a lienzo en 1873. Son sumamente personales y abrumadoramente pesimistas. Hay muchas maneras de interpretarlas en detalle, pero la idea del conflicto inútil, l maldad y la estupidez humanas emergen con frecuencia. El artist envejecido denota una constante preocupación por la desesperanza, lo grotesco y lo horrible.

2

**Francisco de Goya**
Fuendetodos, 1746–Burdeos, 182
*La Leocadia (Doña Leocadia Zorrilla, ama de llaves del artista)*, aprox. 1821–3
Pintura mural transportada a lienzo, 147 × 132 cm
Donada en 1881 por el barón Emile d'Erlanger
Nº de Catálogo 754

I

2

1
**Francisco de Goya**
Fuendetodos, 1746–Burdeos, 1828
*Perro semihundido,*
aprox. 1821–3
Pintura mural transportada a
lienzo, 134 × 80 cm
Donada en 1881 por el barón
Emile d'Erlanger
Nº de Catálogo 767

2
**Francisco de Goya**
Fuendetodos, 1746–Burdeos, 1828
*Saturno devorando a un hijo,*
aprox. 1821–3
Pintura mural transportada
a lienzo, 146 × 83 cm
Donada en 1881 por el barón
Emile d'Erlanger
Nº de Catálogo 76

1

2

3

1
**Francisco de Goya**
Fuendetodos, 1746–Burdeos, 1828
*El destino (Atropos),*
aprox. 1821–3
Pintura mural transportada a lienzo, 123 × 266 cm
Donada en 1881 por el barón Emile d'Erlanger
Nº de Catálogo 757

2
**Francisco de Goya**
Fuendetodos, 1746–Burdeos, 1828
*Aquelarre (escena sabática),*
aprox. 1821–3
Pintura mural transportada a lienzo, 140 × 438 cm
Donada en 1881 por el barón Emile d'Erlanger
Nº de Catálogo 761

3
**Francisco de Goya**
Fuendetodos, 1746–Burdeos, 1828
*La romería de San Isidro,*
aprox. 1821–3
Pintura mural transportada a lienzo, 146 × 438 cm
Donada en 1881 por el barón Emile d'Erlanger
Nº de Catálogo 766

4
**Francisco de Goya**
Fuendetodos, 1746–Burdeos, 1828
*Don Juan Bautista de Muguiro,*
1827
Lienzo, 74 × 68 cm
Legado por el II conde de Muguiro
Nº de Catálogo 2898

5
**Francisco de Goya**
Fuendetodos, 1746–Burdeos, 1828
*La lechera de Burdeos,*
aprox. 1825–7
Lienzo, 74 × 68 cm
Legado en 1946 por el conde de Muguiro
Nº de Catálogo 2899

Realizada dos o tres años antes de morir, esta obra es un tributo a la vitalidad de Goya, pese a su vejez. Continuando sus experimentos con nuevas técnicas, adopta una serie de colores más libres y más luminosos, usando pinceladas más cortas y aplicando los colores en un estilo que anticipa el delos impresionistas.

# EL SIGLO XIX

La mayoría del arte romántico del siglo XIX se encuentra en el Casón del Buen Retiro (el anexo del Prado), donde también se dedica un amplio apartado a los distinguidos retratos de Federico de Madrazo, que sucedió a Vicente López como el más notable retratista madrileño. El Casón también contiene las obras de Antonio María Esquivel, con ejemplares de sus cuadros históricos, composiciones religiosas, obras de género y retratos, incluso su *Reunión de poetas*, que es de interés especial.

Tres de los artistas del período –Lucas, Alenza y Lameyer– evidencian lo que el historiador Elías Torno llamó la "veta brava", una característica de la pintura española que vuelve a presentarse desde El Greco, por vía de Goya, hasta Picasso. Estos artistas podrían describirse como "coloristas románticos", muy al estilo de Delacroix, espíritu del romanticismo francés, a distinción de su compatriota Ingres, campeón del clasicismo. Sería una injusticia el clasificar a Eugenio Lucas como simple imitador de Goya, (aunque es indiscutible que no fue poco su talento para asimilar su manera "negra"), puesto que revela mucha más inteligencia y capacidad creadora en sus obras menos derivativas. El Casón exhibe una extensa colección de la obra de Lucas, con cuadros que muestran sus temas favoritos, entre ellos escenas de la Inquisición, brujería, corridas de toros y majas en el balcón. Artista más importante que Lucas, Leonardo Alenza, tampoco dejó de ser goyesco, influencia que se revela en obras tales como el *retrato de Pasutti* y *La azotaina*, efectivamente una versión del *Capricho* titulado *Si quebró el cántaro*... Sin embargo, antes de dar con Goya, Alenza absorbió la influencia de Teniers a través de obras actualmente en el Prado, y su estilo costumbrista tanto puede atribuirse a este contexto como a la influencia posterior de Goya. Entre este grupo de "coloristas románticos" también destaca Francisco Lameyer, pintor cautivado por los temas africanos y orientales, y cuya predilección le ganó el título algo incongruente de "Delacroix español".

El costumbrismo español consistió en varios estilos individuales que se estimaron tanto en España como en el extranjero. Los cuatro pintores principales que lo representan en el Casón del Buen Retiro son: el delicado purista Valeriano Bécquer; el casi ingenuo Manuel Cabral Aguado Bejarano; el realista Manuel Castellano; y Manuel Rodríguez de Guzmán. Bajo el influjo de David Roberts (1796–1864), artistas como Genaro Pérez Villaamil y Luis Rigalt establecieron una nueva forma de paisajismo, en ocasiones pleno de fantasía, distinto del que desarrollaría la inmediata corriente realista. Su propagador más significativo en España fue Carlos de Haes, nacido en Bélgica pero formado en Málaga, y sin duda alguna más español que flamenco.

Entre los artistas contemporáneos en los inicios del paisaje realista español, se halla Martín Rico. De origen madrileño, Rico acabaría estableciéndose en Venecia, y su estilo tardío muestra un luminismo y un dibujo muy valiosos, en parte influido por Mariano Fortuny; otro contemporáneo, Ramón Martí y Alsina, ejerció gran influencia en su Cataluña natal. Entre la colección de paisajes realistas que guarda el Casón, también figuran obras de los siguientes artistas: Jaime Morera, uno de los seguidores más allegados de Haes; Antonio Muñoz Degrain, que no se dedicó exclusivamente a los paisajes; y José Jiménez Aranda, afamado pintor de cuadros de género anecdótico en su tiempo, que también compuso paisajes que parecen anticipar el hiperrealismo del siglo XX.

Mariano Fortuny fue un pintor que disfrutó de una reputación considerable durante su corta y brillante carrera. Aunque los enemigos de la primera ola del impresionismo francés le criticaron por su asociación con el nuevo estilo, de ningún modo fue un impresionista. No obstante, su obra muestra muchos elementos fascinantes, entre ellos una complacencia en los efectos de la luz del sol, una técnica fluida y desenvuelta; por el contrario, destacan su dibujo riguroso y una paleta siempre en armonía con cada asunto, lo mismo clara que oscura. De todas las obras tan variadas de Fortuny que se exhiben en el Casón son ciertas partes del cuadro que realizó de sus hijos en el salón japonés las que tal vez sean las más representativas de la modernidad y el virtuosismo de su producción. A pesar de su extremado realismo, Raimundo de Madrazo, cuñado de Fortuny e hijo del pintor Federico de Madrazo, también es un artista de agradables efectos.

Figura paralela en calidad a la de Fortuny es, para los españoles, la de Eduardo Rosales. A diferencia del libre desenfado característico del estilo de Fortuny, la obra de Rosales es de una gravedad señorial que refleja algo de la humanidad y creatividad que sobresalen en el espíritu del genio español. Rosales se sitúa conscientemente en la tradición histórica española, tal cual puede admirarse en su composición monumental del *Testamento de Isabel la Católica*.

Otros dos artistas interesantes, coetáneos de Rosales y Fortuny, son Vicente Palmaroli y José Casado del Alisal. Palmaroli es un pintor ambivalente. Por un lado produjo obras minuciosamente delineadas y modeladas mientras que, por otro, cultivó un estilo muy fluido, de paleta quebrada, en que predominaban las tonalidades oscuras y sobrias.

Tres artistas valencianos –Francisco Domingo Marqués, Ignacio Pinazo y Joaquín Sorolla– llegaron a ser figuras sumamente significativas del arte español de finales del siglo XIX y principios del siglo XX. Los tres desarrollaron el realismo del siglo XIX de manera dramática, con sus estilos tan ricos y fluidos. Marqués y Pinazo lo consiguieron sin renunciar a la paleta quebrada y a menudo oscura; muestran un vivo interés por la calidad material de la pintura misma y representan el mundo natural con gran destreza. No obstante, aunque Sorolla tampoco abandonara por completo la paleta oscura, que parece tan afín al temperamento español, logró convertirse en luminista muy poderoso.

En la última fase del Casón destacan paisajes de los años postreros del siglo XIX y primeros del siglo XX. Hay una extensa serie de cuadros de Aureliano de Beruete que dejan bien claro su carácter impresionista, con su aguda percepción de luz, atmósfera y forma. También hay varias obras de Agustín Riancho que, como Beruete, fue seguidor de Carlos de Haes. Riancho terminó su carrera de pintor realista con una repentina transformación propia que acabó en un estilo intenso y exaltado, casi a la manera del fauvismo.

Queda por informar en este recorrido del arte del siglo XIX que pertenece al Prado que, siendo la colección extensa, gran parte de ella se ha depositado en diversos museos españoles. La colección procede en gran medida de las obras premiadas en las Exposiciones Nacionales de Bellas Artes, inauguradas en 1856. Un número considerable de piezas de la mejor calidad procede de donaciones y legados testamentarios. La colección, que antes había pertenecido a los museos del Prado y de la Trinidad, estuvo en el Museo Nacional de Arte Moderno de Madrid desde 1894 hasta 1968. Al cerrarse este último, la colección se transfirió al Museo Español de Arte Contemporáneo, también en Madrid, donde permaneció hasta 1971, año en que regresó al Prado.

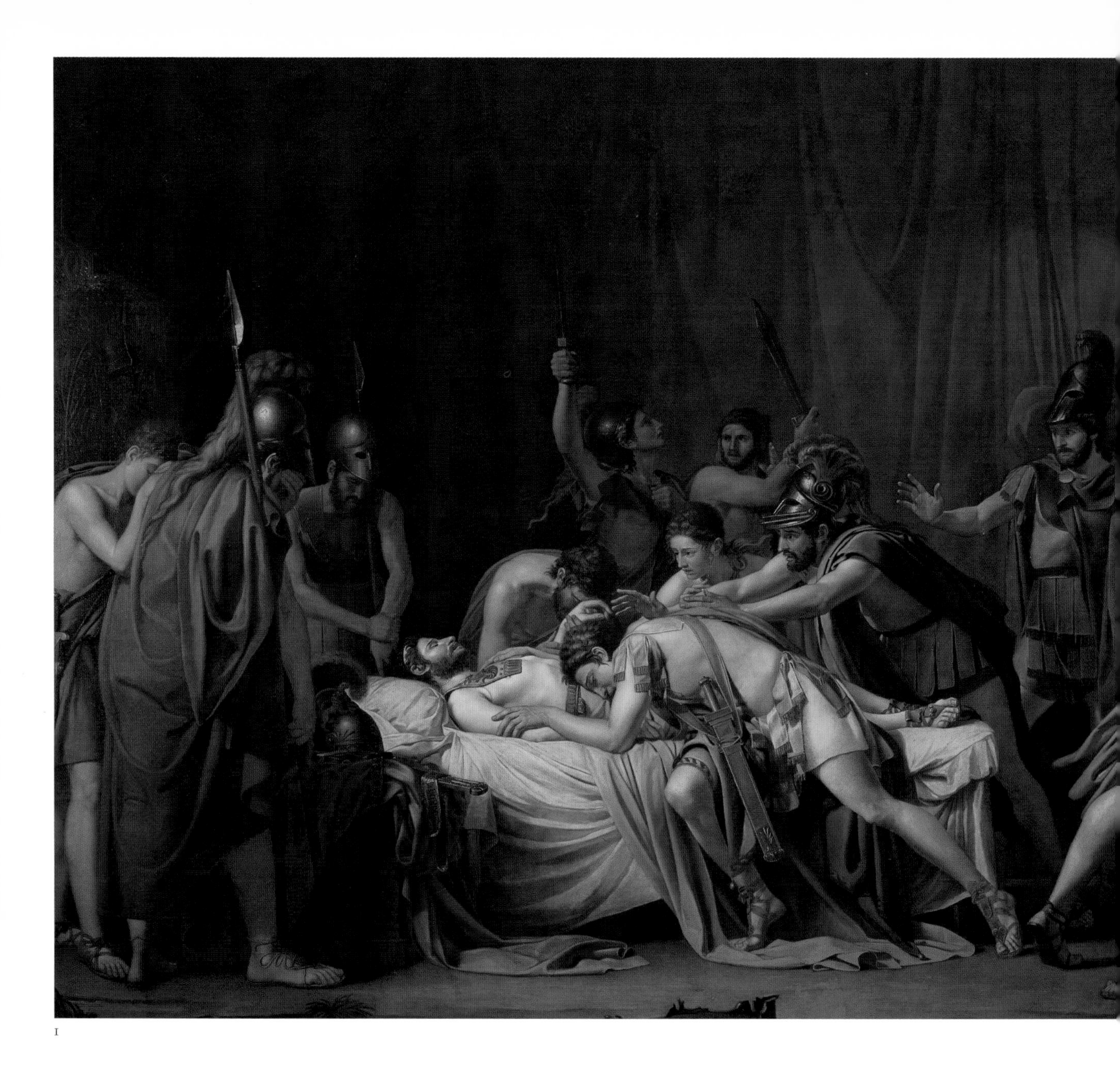

1

1
**José de Madrazo**
Santander, 1781–Madrid, 1859
*La muerte de Viriato*, aprox. 1808–18
Lienzo, 307 × 462 cm
Formaba parte de la colección real en el siglo XIX
Nº de Catálogo 4469

2
**Vicente López**
Valencia, 1772–Madrid, 1850
*Francisco José de Goya*, 1826
Lienzo, 93 × 77 cm
Formaba parte de la colección real en el siglo XIX
Nº de Catálogo 864

3
**Vicente López**
Valencia, 1772–Madrid, 1850
Boceto para una bóveda
*La institución de la Orden de Carlos III*
Lienzo, 113 × 106 cm
Adquirido en 1879
Nº de Catálogo 3804

2

3

I

I
**Bernardo López**
Valencia, 1800–Madrid, 1874
*La reina Doña María Isabel de Braganza*, 1829
Lienzo, 254 × 172 cm
Formaba parte de la colección real en el siglo XIX
Nº de Catálogo 863

Bernardo López, hijo del más afamado Vicente López, nunca desarrolló su propio estilo de manera significativa, sino que permaneció fiel seguidor de su padre. La retratada, que nació en 1797 y murió en 1818, fue la segunda esposa de Fernando VII de España además de hija de Juan VI de Portugal y Carlota Joaquina de Borbón. El cuadro la conmemora como cofundadora del Prado.

2
**Eugenio Lucas**
Alcalá de Henares, 1824–Madrid, 1870
*Un cazador*
Lienzo, 216 × 153 cm
Adquirido en 1931
Nº de Catálogo 4424

3
**Eugenio Lucas**
Alcalá de Henares, 1824–Madrid, 1870
*Majas al balcón*, 1862
Lienzo, 107 × 81 cm
Procedente del legado Vitórica de 1969
Nº de Catálogo 4427

4
**Ascensió Juliá**
Valencia, 1767–Madrid, aprox. 1830
*Escena de una comedia*
Lienzo, 42 × 56 cm
Adquirido en 1934
Nº de Catálogo 2573

3

1

1
**Antonio María Esquivel**
Sevilla, 1806–Madrid, 1857
*Reunión de poetas*, 1846
Lienzo, 144 × 217 cm
Donado en 1866 por el Ministerio de Fomento
Nº de Catálogo 4299

2
**Valeriano Domínguez Bécquer**
Sevilla, 1834–Madrid, 1870
*Campesinos sorianos bailando*, 1866
Lienzo, 65 × 101 cm
Donado por el artista al recibir una pensión estatal
Nº de Catálogo 4324

3
**Leonardo Alenza**
Madrid, 1807–45
*El gallego de los curritos*
Lienzo, 35 × 25 cm
Procedente del Museo de Arte Moderno
Nº de Catálogo 4205

4
**Francisco Lameyer**
Puerto de Santa María, 1825–Madrid, 1877
*Un grupo de moros*
Tabla, 38 × 54 cm
Procedente del legado Laffitte de 1942
Nº de Catálogo 4394

2

3

4

1

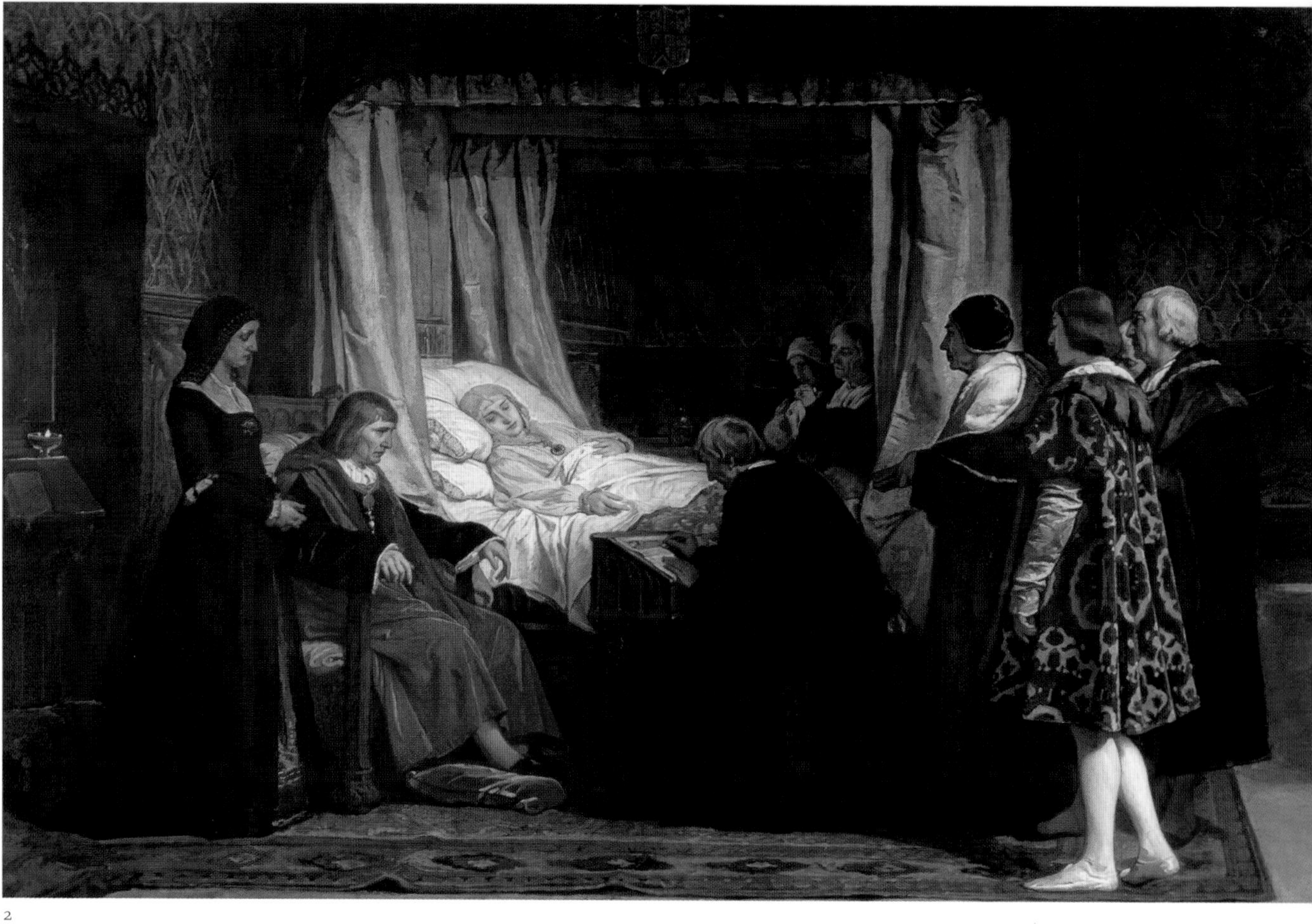
2

3

4

1
**Manuel Rodríguez de Guzmán**
Madrid, 1818–aprox. 1866–7
*La feria de Santiponce*, 1855
Lienzo, 125 × 196 cm
Adquirido en 1856
Nº de Catálogo 4604

2
**Eduardo Rosales**
Madrid, 1837–73
*El testamento de Isabel la Católica*, 1864
Lienzo, 287 × 398 cm
Adquirido en 1865
Nº de Catálogo 4625

3
**Federico de Madrazo**
Roma, 1815–Madrid, 1894
*La condesa de Vilches*, 1853
Lienzo, 126 × 89 cm
Legado en 1944 por el conde de la Cimera
Nº de Catálogo 2878

Federico de Madrazo fue nombrado Director del Prado dos veces, desde 1860 hasta 1868 y desde 1881 hasta su muerte; era hijo del pintor José de Madrazo, que también había sido Director del Prado. Sus retratos exhiben admirable refinamiento y sensibilidad, una delicada armonía de color y textura y la clara influencia del pintor francés Ingres.
El sujeto de este cuadro, con su atractiva combinación de lo aristocrático y lo familiar, es la condesa de Vilches (1821–74), eminente escritora y personalidad de los salones literarios de su día.

4
**Luis Rigalt**
Barcelona, 1814–94
*Paisaje con una roca sobresaliente*
Lienzo, 62 × 98 cm
Adquirido en 1974
Nº de Catálogo 4601

1

1
**Eduardo Rosales**
Madrid, 1837–73
*La condesa de Santovenia*, 1871
Lienzo, 163 × 106 cm
Donado en 1982 por los Amigos del Museo del Prado
Nº de Catálogo 6711

2
**Vicente Palmaroli**
Zarzalejo, 1834–Madrid, 1896
*Confidencias en la playa*, aprox. 1883
Tabla, 137 × 63 cm
Parte de la colección Bauer hasta 1930
Legada por el hijo del artista
Nº de Catálogo 4537

3
**Eduardo Rosales**
Madrid, 1837–73
*Saliendo del baño*
Lienzo, 185 × 90 cm
Adquirido en 1878
Nº de Catálogo 4616

4
**Mariano Fortuny**
Reus, 1838–Roma, 1874
*Un desnudo en la playa de Portici*
Lienzo, 13 × 19 cm
Legado en 1904 por Don Ramón de Errazu
Nº de Catálogo 2606

2

3

4

1

2

1
**Mariano Fortuny**
Reus, 1838–Roma, 1874
*Marroquíes*
Tabla, 13 × 19 cm
Legada en 1904 por Don Ramón de Errazu
Nº de Catálogo 2607

2
**Mariano Fortuny**
Reus, 1838–Roma, 1874
*Idilio*, 1868
Papel, 31 × 22 cm
Legado en 1904 por Don Ramón de Errazu
Nº de Catálogo 2609

3
**Raimundo de Madrazo**
Roma, 1841–Versalles, 1920
*Aline Masson, modelo del artista*
Tabla, 60 × 47 cm
Legada en 1904 por Don Ramón de Errazu
Nº de Catálogo 2622

4
**Francisco Domingo Marqués**
Valencia, 1842–Madrid, 1920
*El estudio de Antonio Muñoz Degrain en Valencia*, 1867
Lienzo, 38 × 50 cm
Adquirido en 1904
Nº de Catálogo 4484

3

4

1

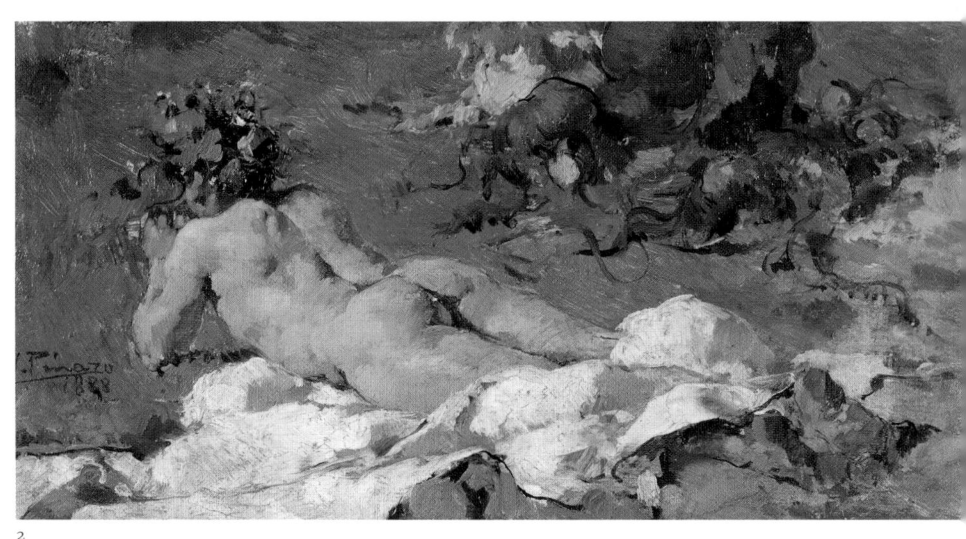

2

1
**Aureliano de Beruete**
Madrid, 1845–1912
*Las orillas del río Manzanares*
Lienzo, 57 × 81 cm
Origen desconocido
Nº de Catálogo 4252

2
**Ignacio Pinazo**
Valencia, 1849–Godella, 1916
*Estudio de un desnudo*, 1888
Tabla, 10 × 18 cm
Origen desconocido
Nº de Catálogo 4578

3
**Carlos de Haes**
Bruselas, 1826–Madrid, 1898
*Los Picos de Europa*, 1876
Lienzo, 167 × 123 cm
Adquirido en 1876
Nº de Catálogo 4391

3

1

2

1
**Martín Rico**
Madrid, 1835–Venecia, 1908
*El palacio del dux y la Riva degli Schiavoni, Venecia*
Lienzo, 41 × 71 cm
Legado en 1904 por Don Ramón de Errazu
Nº de Catálogo 2625

2
**Francisco Pradilla Ortiz**
Villanueva de Gállego, 1848–Madrid, 1921
*Doña Juana la Loca*, 1877
Lienzo, 340 × 500 cm
Adquirido en 1878
Nº de Catálogo 4584

**Joaquín Sorolla**
Valencia, 1863–Carcadilla, 1923
*Niños en la playa*, 1910
Lienzo, 118 × 185 cm
Presentado en 1919 por el artista
Nº de Catálogo 4648

Formado en la tradición realista del siglo XIX, Sorolla giró hacia un estilo más luminoso y colorista que le permitió expresar su conciencia de la vitalidad y frescura de la naturaleza. Por medio de sus contactos con los impresionistas franceses, desarrolló una técnica de pinceladas largas, seguras y una amplia escala de colores.

# LAS COLECCIONES EXTRANJERAS

# INTRODUCCIÓN

El que recorra las galerías del Prado y examine sus magníficas obras, no podrá menos de sentirse impresionado por la calidad universal del Museo. Hay que tener en cuenta, además, que las diversas colecciones no reflejan las preferencias instruidas de los historiadores de arte ni tampoco de los académicos, sino los gustos personales y las actitudes políticas de los monarcas, cortesanos y consejeros que las reunieron.

Después de la estrecha colaboración económica entre Castilla y los Países Bajos durante la Edad Media, y debido a una serie de matrimonios y defunciones reales, eventualmente Carlos I llegó a convertirse en rey de España y también de Flandes en 1517. Dos años más tarde, con el nombre de Carlos V, fue elegido emperador del Sacro Imperio. Estas circunstancias facilitaron la importación española de muchas obras de artistas flamencos desde el siglo XV en adelante, y gran parte de ellas pasaron a formar parte de la colección real.

La colección italiana del Prado es una de las más representativas que existe, y muchos la consideran indispensable para entender por completo la evolución artística italiana. La mayoría de los cuadros se adquirieron directamente desde Madrid. Tradicionalmente, fue la escuela veneciana la que más favorecían los monarcas españoles, en parte, sin duda alguna, debido a que Tiziano fuese retratista oficial no sólo al servicio de Carlos V sino también de Felipe II. Este último, sobre todo, reunió una impresionante colección de cuadros italianos, que incluía obras de Correggio y Rafael, con los cuales adornó el Alcázar de Madrid, El Pardo, El Escorial y Aranjuez. Aunque Felipe III no fue gran coleccionista, el duque de Urbino le obsequió con dos magníficos lienzos de Barocci, y fue en 1603, durante su reinado, cuando Rubens visitó la corte por primera vez, al acompañar una embajada de Vincenzo Gonzaga, duque de Mantua.

En cambio, Felipe IV fue gran patrón de las artes: su reinado coincidió con el punto culminante de artistas españoles del calibre de Velázquez, Zurbarán y Ribera y sin embargo seguía importándose una gran cantidad de pinturas flamencas para completar la decoración de los palacios reales. Al morir Rubens y venderse su estudio, Felipe IV adquirió muchos de sus cuadros, y después de la ejecución de Carlos I de Inglaterra en 1648, de su colección los agentes reales compraron obras de Mantegna, Rafael, Veronés, Andrea del Sarto, Tintoretto y Durero. Con la construcción del palacio del Buen Retiro de Madrid en 1630, se encargaron y buscaron muchas obras en Italia, y los embajadores en Roma y los virreyes de Nápoles compitieron entre sí a fin de enviar los cuadros más exquisitos para la decoración de la nueva residencia real y el antiguo Alcázar. La reina Cristina de Suecia le regaló dos tablas de Durero; también hubo obras donadas por diversos aristócratas españoles e italianos, mientras que Velázquez fue encargado de efectuar las adquisiciones reales en Italia.

Al morir Felipe en 1665 la colección ya era magnífica, y su sucesor, Carlos II, no la aumentó de modo significativo, aunque durante su reinado se añadieron algunas obras de Rubens y varios bodegones italianos de Recco, Nuzzi y Belvedere. En 1692 llegó Luca Giordano a la corte y dominó el ambiente artístico de España a lo largo de diez años. Inspiró renovado interés en los esquemas decorativos en gran escala, y su presencia coincidió con los últimos esplendores del llamado "Siglo de Oro" de la pintura española.

En 1700, con el inicio de la dinastía de Borbón en España, Felipe V, nieto de Luis XIV de Francia, subió al trono español. Él y su segunda esposa, la italiana Isabel de Farnesio, encargaron escenas de género y retratos de artistas franceses tales como Houasse y Ranc, escogiendo artistas italianos como Procaccini y Vaccaro cuando querían obras religiosas o históricas. La restauración de los palacios antiguos y la construcción de los nuevos, tales como La Granja, exigieron decoraciones nuevas. Así pues, por un lado llegaron retratos familiares de Rigaud, Largillièrre, De Troy, Santerre y Gobert, mientras por otro los agentes del rey adquirieron cuadros en Italia, Francia y los Países Bajos.

Fernando VI contribuyó poco al patrocinio artístico español, aunque durante su reinado varios pintores italianos realizaron decoraciones murales y obras menores. Carlos III, que reinó 29 años, completó la construcción del nuevo palacio de Madrid y contrató a Tiépolo y a Mengs para que lo decorasen. Durante este período se adquirieron muchas obras muy famosas de una serie de artistas que incluye a Rembrandt y Tintoretto; el príncipe de Asturias, que más tarde sería Carlos IV, empezó su propia colección. En 1808, cuando perdió el trono, ya había acumulado una colección muy sofisticada, la cual se añadiría a la de sus antepasados. Entre sus adquisiciones figuraban cuadros de artistas contemporáneos como Pillement y Vernet junto con obras más antiguas de Andrea del Sarto, Robert Campin, Rafael, Domenichino, Turchi y Cavedone, actualmente exhibidas en el Prado.

Después del trastorno causado por las guerras napoleónicas y la invasión de España en 1808, la Casa de Borbón fue debidamente restablecida en 1814 con la figura de Fernando VII y el Museo del Prado se inauguró por fin en 1819. Un director, Federico de Madrazo, obtuvo el bellísimo retablo *La Anunciación* de Fra Angélico en 1860, y cinco años después el Museo recibió el valioso donativo del políptico de cuarenta asuntos de animales realizados en láminas de cobre por Van Kessel el Viejo.

En 1872 se transfirieron al Prado numerosas pinturas religiosas del Museo de La Trinidad, incluyendo obras de Van der

**Antonio Allegri**, llamado **Correggio**
*Noli me tangere*, aprox. 1534 (detalle)

## LA PINTURA ITALIANA

Weyden y Barocci. La abundancia de donaciones siguió hasta el final del siglo XIX, siendo la más notable el extraordinario obsequio de casi doscientos cuadros de parte de la duquesa de Pastrana.

El período entre 1914 y 1936 fue extremadamente provechoso para el Prado. Se adquirieron obras de Andrea del Sarto, Van der Weyden, Van Kessel, Bernini, Tiépolo y Van Scorel. Desde el final de la Segunda Guerra Mundial las colecciones se han ampliado de manera más sistemática. Esto queda evidenciado por la colección de pintura británica, que no existía a principios del siglo y que ahora se enorgullece de exhibir obras de Reynolds, Gainsborough, Lawrence y Romney, entre otros. La colección británica concluye la representación de la pintura extranjera del Prado, después de los cuadros franceses, holandeses y alemanes.

La pintura italiana constituye la tercera colección más grande del Prado e incluye gran parte del arte italiano adquirido o encargado por la monarquía española entre los siglos XVI y XIX. Las relaciones políticas entre España e Italia jugaron un papel importante en la formación de las colecciones de pintura italiana en España durante dicho período. Fue por medio de estos lazos que se formó no sólo la colección real, sino también las colecciones particulares de la nobleza, cuyos miembros solían seguir los gustos impuestos por la corte y cuyas visitas a Italia, como embajadores, les permitieron adquirir obras notables.

Claro está que el gusto personal de los monarcas españoles determinó la composición de las colecciones reales. Esto explica la abundancia de obras de la escuela veneciana del siglo XVI y de los artistas más importantes que trabajaron en Roma a mediados del siglo XVII. Sin embargo, también explica la existencia de lagunas significativas en otros períodos. De ahí la falta de obras de los cuatrocentistas italianos, dado que en los tiempos de los Reyes Católicos los lazos económicos y políticos con Flandes dirigieron la decidida voluntad de estos monarcas a la adquisición de obras de arte flamencas. Del mismo modo, durante el siglo XVIII, el establecimiento de la dinastía de Borbón en España determinó que sus intereses artísticos se inclinasen más hacia la pintura francesa que a las enérgicas escuelas italianas del período.

Entre las obras más antiguas de la colección italiana hay dos tablas pequeñas del siglo XIV, probablemente fragmentos del banco de un cuadro de altar. Se atribuyen al "Maestro de la Madonna della Misericordia", artista florentino del círculo de los seguidores de Giotto. Los fondos de oro sirven de encuadre a unas figuras que, a la vez, quedan realzadas, mas la elegancia y la riqueza de las vestiduras no disminuyen el concepto monumental de la forma ni tampoco el expresivo individualismo, ambos derivados de Giotto. También se exhibe una tabla de Giovanni dal Ponte, quien se podría considerar artista algo arcaico. Mientras que la tabla, que formaba el frontal de un *cassone* (un arca de ajuar de bodas) y representa las siete artes liberales, se puede fechar alrededor de 1435, la ausencia de perspectiva geométrica, el fondo dorado y las elegantes y afectadas actitudes de las figuras sugieren estrechos contactos con el gótico internacional de un período anterior, y hacen de esta obra un ejemplo interesante del estado de la pintura justo antes de las innovaciones del primer Renacimiento florentino.

La colección de pinturas del Quattrocento que posee el Prado comienza con la exquisita *Anunciación* de Fra Angelico, obra que procede de uno de los altares del convento de San Domenico en Fiésole, cerca de Florencia, la cual fue vendida por los frailes dominicos en 1611, a fin de restaurar el campanario de la iglesia. Comprada por el duque de Lerma, poderoso favorito de Felipe III, la obra fue donada ese mismo año al convento de las Descalzas Reales de Madrid, donde adornó uno de los altares del claustro. En 1860, el entonces Director del Prado, Federico de Madrazo, descubrió esta magnífica tabla en excelente estado de conservación e hizo que se trasladara al Museo, reemplazándola con una obra suya del mismo tema.

La pintura cuatrocentista florentina de la segunda mitad del siglo xv está representada por tres tablas de Botticelli que ilustran una historia tomada del *Decamerón* de Boccaccio. Aunque muy típicas del estilo inicial de Botticelli, exhiben muchas de sus características posteriores.

Una de las piezas magistrales de las colecciones del Prado es sin duda *El tránsito de la Virgen* del artista paduano Andrea Mantegna. Refleja asimismo la fina percepción de Felipe IV y sus consejeros artísticos el que mostrasen interés por obras del Renacimiento temprano cuando el gusto predominante se volcaba hacia Rafael y los maestros contemporáneos del barroco.

Los cuadros cuatrocentistas de Venecia, tal como se representan en el Prado, nos sitúan en el umbral de la deslumbrante pintura veneciana del siglo xvi. *Cristo muerto sostenido por un ángel*, de Antonello da Messina, es una de las más bellas creaciones del artista, y revela la fusión de atmósfera y luz, una característica típica veneciana, con elementos del realismo nórdico.

Melozzo da Forli, discípulo de Piero della Francesca, está representado por un pequeño detalle de un fresco con un ángel músico. Junto con Antoniazzo Romano, Melozzo es un ejemplo de la escuela de Umbría de fines del siglo xv, de la que más tarde surgiría Perugino y en la cual se formaría el joven Rafael. La relativa escasez de cuadros del siglo xv en el Prado se compensa con una magnífica colección de obras del siglo xvi, que procede de todos los centros artísticos de Italia.

El pleno desarrollo del clasicismo italiano de principios del siglo xvi se alcanza con sus representaciones de las obras de Rafael. *La Sagrada Familia del cordero*, realizada en 1507, durante su juventud, pertenece aún al período de Rafael en Florencia, en contacto con las ideas de Leonardo y Fra Bartolomeo. La composición que muestra el momento de mayor clasicismo del artista es *La Virgen del pez*, pintada hacia 1514. En esta obra, el espacio pictórico está determinado por las relaciones geométricas y las figuras adquieren un carácter sólido y monumental. El portentoso *Retrato de un Cardenal* es una obra que revela la profunda percepción psicológica del artista, resumiendo en la severa figura del sujeto toda la finura, inteligencia e indiferencia de los príncipes de la iglesia durante ese período que culmina con el duro conflicto con el luteranismo.

De Andrea del Sarto, el Prado posee un enigmático retrato femenino, en cuyo modelo la crítica reconoce a Lucrezia di Baccio del Fede , esposa del artista, y también el *Asunto místico*, la composición más grandiosa del pintor en el Museo. Esta escena, encuadrada en una estructura rigurosamente piramidal, está realizada con una técnica repleta de recuerdos del claroscuro leonardesco, mientras que el diestro colorido mezcla unas ricas tonalidades calientes –de rojos, verdes y amarillos puros– con otras, rosadas y llenas de tornasoles, que anticipan las audacias coloristas de manieristas florentinos tales como Pontorno y Bronzino.

El Prado también exhibe algunos de los ejemplos más bellos de la obra de Niccolò dell'Abate y Parmigianino, artistas del pleno manierismo que trabajaron a mediados del siglo xvi, mientras que los cuadros de Sebastiano del Piombo, Correggio y Barocci muestran las tendencias independientes e individualistas de otra serie de pintores que también forman parte del amplio panorama del manierismo. Correggio fue uno de los personajes más innovadores y más libres de la primera parte del siglo, y el Prado posee una de sus más célebres composiciones, *Noli me tangere*.

Habrá muy pocas colecciones que incluyen tantas obras de los grandes maestros venecianos del siglo xvi, Tiziano, Tintoretto y Veronés, así como cuadros por otras importantes figuras de Venecia como Lotto, Bassano y Moroni. Casi todos los cuadros venecianos del Prado proceden de las colecciones reales, y mientras que algunos se adquirieron en el siglo xviii, la mayoría llegaron a España en los siglos xvi y xvii. Entre estos últimos figura *Venus y Adonis* de Veronés, adquirido en Italia por Velázquez quien llevaba el encargo expreso de Felipe IV de comprar todas las obras que estimara apropiadas para las colecciones reales.

El Prado también guarda la *Ofrenda a Venus* y la *Bacanal* de Tiziano, que junto con otras dos obras, *Baco y Ariadna*, actualmente en la National Gallery de Londres, y el *Banquete de los Dioses* en la National Gallery de Washington; constituyen una serie ejecutada entre 1519 y 1525 para Alfonso d'Este, duque de Ferrara. Estos cuadros son los primeros de sus notables composiciones mitológicas. La colección incluye importantes ejemplos de sus obras tardías de tema religioso así como varios retratos excelentes, los cuales tuvieron gran impacto sobre la retratística española de finales del siglo xvi y del siglo xvii. Entre sus magníficos retratos de las altas personalidades del período destacan la fascinante representación de Federico de Gonzaga, duque de Mantua, con sus exquisitas tonalidades y vaga melancolía, además de las monumentales efigies de Carlos V y Felipe II. Asimismo, el autorretrato de Tiziano es una pieza soberbia en su género. Esta obra, comentada por Vasari, perteneció a Rubens y fue comprada por Felipe IV en la venta de los bienes del artista después de su muerte en 1640, posiblemente aconsejado por Velázquez.

Casi todas las pinturas de Veronés exhibidas en el Prado fueron adquiridas durante el reinado de Felipe IV. La obra de Veronés, con su suntuosidad de formas y colores y su fuerza expresiva, puede considerarse como la culminación del Renacimiento veneciano. La belleza sensual de sus figuras femeninas sólo se puede equiparar con la de las creaciones de Tiziano, calidad ejemplificada por la soberbia *Venus y Adonis*. Del mismo modo, detalles como la delicadeza casi rococó de la versión pequeña del *Hallazgo de Moisés,* y el uso tan admirable que hace de los luminosos paisajes, revelan la estética sumamente refinada de Veronés.

La obra de Tintoretto refleja un importante cambio de dirección para el arte veneciano, apartándose del sentido de armonía tan evidente en los cuadros de Tiziano y Veronés y dirigiéndose hacia una nueva expresividad que bien podría describirse como manierismo "a la veneciana". La tensión dramática de sus composiciones –que se logra por medio del alargamiento de las figuras, el uso de colores llamativos y violentos toques de iluminación que atraviesan el lienzo como relámpagos de luz fría– hacen de Tintoretto uno de los pintores venecianos más originales de la época. El Prado posee una notable colección de sus obras, entre ellas *El Lavatorio y La batalla entre turcos y cristianos,* junto con una magnífica serie de retratos.

La escuela veneciana del siglo XVI se cierra en el Museo con numerosas obras de los Bassano y de su taller. El fundador de esta dinastía de pintores fue Jacopo Bassano, quien a base de temas bíblicos creó escenas de género y representaciones del mundo animal. La mayoría son obras alegres y decorativas en las que el artista desarrolla el naturalismo, el sentido de espacio y color y la vibrante pincelada de los maestros venecianos. Francesco Bassano, cuya obra más interesante tal vez sea *La última Cena,* realizó cuadros del mismo carácter que su padre, y las pinturas de su hermano Leandro también reflejan temas parecidos.

El núcleo de la colección del siglo XVII está formado por obras encargadas por Felipe IV para la decoración del nuevo palacio del Buen Retiro, en la que intervinieron algunos de los más célebres pintores de la época. Las dos tendencias fundamentalmente italianas de los primeros años del siglo XVII fueron el clasicismo y el "naturalismo tenebrista" – representadas en el Museo por unas colecciones de amplitud más bien mediana. Los cuadros del revolucionario Caravaggio, a excepción del bellísimo *David victorioso,* no parece que atrajeran la atención de los monarcas. No obstante, el Prado sí que posee admirables ejemplos de las obras de los caravaggistas, incluso *La degollación de San Juan Bautista* del napolitano Massimo Stanzione.

El movimiento clasicista, que se originó en Bolonia al principio del siglo XVII, gracias a la actividad de Annibale Carracci y varios de sus discípulos, está asimismo presente en el Museo del Prado. Las obras más significativas de este estilo son las del mismo Carracci, como *Venus y Adonis* y *La Asunción de la Virgen,* en que el artista funde los elementos del clasicismo con su conocimiento de la pintura veneciana del siglo XVI. Sus discípulos más inmediatos también quedan ampliamente representados por obras tales como *El tocador de Venus* de Francesco Albani e *Hipómenes y Atalanta* de Guido Reni. Domenichino, uno de los clasicistas más refinados de la primera parte del siglo, está representado por varias obras, entre ellas el pequeño *Arco triunfal,* fechado entre 1607 y 1610, y realizado en honor de Giovan Battista Agucchi, teórico del arte y amigo de los pintores clasicistas. A la pintura sumamente intelectual de Domenichino se opone la de su contemporáneo, Guercino – de quien el Prado guarda una notable colección. Otro de los seguidores de Carracci, Giovanni Lanfranco, puede considerarse como el anticipador de la grandiosa pintura del pleno barroco; las figuras de los *Gladiadores en un banquete* se disponen a la manera de un friso clásico y quedan realzadas por el uso de la luz contra un fondo oscuro.

La escuela napolitana cobró vida a mediados del siglo XVII. Nacido del empuje creativo de las obras que realizó Caravaggio en dicha ciudad, el arte napolitano siguió su singular camino con la figura del español José de Ribera, quien se había establecido en Nápoles de joven, y fundó una tradición que culminaría a fines del siglo con el arte de Luca Giordano. El Prado guarda una distinguida colección de obras de todos los principales artistas napolitanos, entre ellas unas delicada composicion de Bernardo Cavallino y unos cuadros excepcionales de Stanzione, cuyo estilo artístico personal siguió evolucionando a lo largo del siglo, apartándose del tenebrismo caravaggista, hacia una forma más luminosa. También hay varias pinturas de Aniello Falcone, discípulo de Ribera, entre ellas la bellísima composición que se titula *El concierto.* De Mattia Preti se exhibe su *Cristo en Gloria con santos,* y de Salvatore Rosa un espléndido paisaje con la *Vista del golfo de Salerno.* Por último, de los numerosos lienzos de Luca Giordano, se destaca su *Sueño de Salomón,* de maravilloso colorido, con audaces contrastes de luces de brillo metálico.

Entre las piezas de la escuela genovesa cabe mencionar *Moisés y el milagro de la roca* de Gioacchino Assereto, que ejerció gran influencia en la pintura española, sobre todo en la obra de Murillo. Asimismo, la presencia de *Santa Verónica* por Bernardo Strozzi, y una obra fascinante de Giovanni Benedetto Castiglione, *Diógenes,* completan este apartado.

La colección del siglo XVII incluye otras piezas de gran

alidad como el *Moisés salvado de las aguas* del período inglés de
Orazio Gentileschi y una *Piedad* del pintor lombardo Daniele
Crespi. Las pinturas de flores del napolitano Andrea Belvedere
son excelentes ejemplos del estilo de los bodegones del período. Entre las obras de la escuela florentina, tan estrechamente
asociada con España hacia finales del siglo XVI, figura la magnífica *Lot y sus hijas* de Francesco Furini, regalado a Felipe IV por
el duque de Toscana, quien lo escogió de su propia colección a
fin de deleitar el refinado gusto del monarca español.

A pesar del interés de Felipe V por el arte francés, y la afluencia consiguiente de pintores franceses a la corte española
durante el siglo XVIII, no se cortaron en absoluto las relaciones
artísticas con Italia. Aún continuaron las visitas de artistas italianos del calibre de Corrado Giaquinto y Giambattista Tiépolo,
y el Prado también guarda obras de algunos de los tardíos
seguidores del clasicista Carlo Maratta, que trabajó en Roma
durante la primera parte del siglo XVIII. El mejor ejemplo de
esta escuela tal vez sea el retrato del *Cardenal Borja* de Andrea
Procaccini, que fue nombrado pintor de la corte por Felipe V.

El Prado posee cuadros de dos notables artistas napolitanos
del siglo XVIII, Francesco Solimena y Sebastiano Conca, cuyas
obras se encargaron para la decoración de los palacios reales
aun cuando ellos mismos nunca llegaron a venir a España.
Otro pintor napolitano, Corrado Giaquinto, que colaboró con
Conca, fue llamado a Madrid en 1753 por Fernando VI con objeto de ejecutar unos encargos importantes para las decoraciones
murales del nuevo palacio real y permaneció en España, llegando a ser Director de la Pintura, en la Real Academia de San
Fernando. El Prado posee una serie importante de sus obras,
entre las que destacan los bellísimos bocetos para frescos, tales
como *Apolo y Baco* (preparatorio para el grandioso esquema
decorativo de la escalera del Palacio Real de Madrid). La delicadeza rococó de las figuras de Giaquinto, junto con las tonalidades claras y la libertad técnica de su obra tuvieron una
influencia importante en el desarrollo de la escuela madrileña
de la segunda mitad del siglo XVIII, destacando Antonio
González Velázquez, Francisco Bayeu y Maella; incluso la
influencia del estilo de Giaquinto se refleja en los primeros
lienzos de Goya.

La escuela veneciana, junto a la romana, parece haber sido el
foco más vital del arte italiano del siglo XVIII. El Museo no
posee ninguna obra de Canaletto o Guardi, las figuras principales del "vedutismo" (una especie de paisajismo que incorpora vistas de ciudades); no obstante, esta faceta está representada por las vistas romanas de Giovanni Paolo Panini y por una
vista de Venecia de Vanvitelli el Viejo. Por último, el Museo ha
añadido recientemente varios estudios interesantes del palacio
de Aranjuez de Francesco Battaglioli, quien se formó en
Venecia y trabajó en la corte española desde 1754. Otra adquisición reciente es el paisaje titulado *Cristo servido por los ángeles*
de Alessandro Magnasco (en colaboración con Peruzzini),
genovés del siglo XVIII.

Sin embargo, las figuras capitales del arte veneciano del siglo
XVIII serán sin duda alguna los Tiépolo. Tanto el padre,
Giambattista, como su hijo mayor, Gian Domenico, viajaron
extensamente, realizando, no sólo en su Venecia natal sino
también en diversas ciudades europeas, una prodigiosa
cantidad de decoraciones tales como las que se encuentran
en la Kaisersaal de la residencia del obispo de Wurzburgo.
Acompañado de sus dos hijos, llegó a Madrid, ya viejo, en 1762.
En la corte realizó una de sus más bellas creaciones, los frescos
del salón del trono del Palacio Real; el Prado también guarda la
soberbia serie de lienzos que pintó para la iglesia de San
Pascual de Aranjuez en 1769.

La colección de pintura italiana del siglo XVIII en el Museo
del Prado se cierra con dos espléndidos retratos por Pompeo
Batoni, uno de ellos la magistral efigie del duque de Gloucester,
con fecha de 1778.

1

1
Atribuida al **Maestro de la "Madonna della Misericordia"**
Florencia, segunda mitad del siglo XIV
*San Eloy ante el rey Clotario,* aprox. 1365
Tabla, 35 × 39 cm
Donada por Don Francisco Cambó en 1940
Nº de Catálogo 2841

2
**Giovanni dal Ponte**
Florencia, antes de 1376–aprox. 1437
*Las siete artes liberales,* aprox. 1427–35
Tabla, 56 × 155 cm
Donada por Don Francisco Cambó en 1940
Nº de Catálogo 2844

3
**Fra Giovanni da Fiésole** llamado **Fra Angelico**
Vicchio di Mugello(?), aprox. 1400–Roma, 1455
*La Anunciación,* aprox. 1430
Tabla, 194 × 194 cm
Procedente del convento de San Domenico en Fiésole
Vendida y llevada a España en 1611
Entró en el Prado en 1861
Nº de Catálogo 15

Este magnífico retablo, con su imagen central de la Anunciación y su predella con otras escenas de la vida de la Virgen, se considera fundamentalmente como obra con cierto grado de colaboración del taller del artista. La imagen central repite un diseño utilizado por Fra Angelico en la *Anunciación* de Cortona y adorna la parte superior de la escalera que lleva al dormitorio de su propio monasterio de San Marco, en Florencia. La nueva comprensión renacentista de la perspectiva arquitectónica va unida a un deleite medieval visible en el uso mantenido de detalles con cromatismo dorado.

MARIA GRATIA PLENA DOMINVS TECVM BENEDICTA TV INMVLIERIBVS ET

1

2

Alessandro Filipepi,
llamado **Botticelli**
Florencia, 1445–1510
*La historia de Nastagio degli Onesti: el destripamiento de la perseguida*, 1483
Tabla, 138 × 83 cm
Donada por Don Francisco Cambó en 1940
Nº de Catálogo 2839

2
**Alessandro Filipepi,**
llamado **Botticelli**
Florencia, 1445–1510
*La historia de Nastagio degli Onesti: Nastagio prepara un banquete durante el que reaparecen los fantasmas*, 1483
Tabla, 138 × 83 cm
Donada por Don Francisco Cambó en 1940
Nº de Catálogo 2840

3
**Alessandro Filipepi,**
llamado **Botticelli**
Florencia, 1445–1510
*La historia de Nastagio degli Onesti: la visión de Nastagio de la persecución espectral por el bosque*, 1483
Tabla, 83 × 138 cm
Donada por Don Francisco Cambó en 1940
Nº de Catálogo 2838

Estas tres tablas, que son excelentes ejemplos del elegante y refinado estilo del Botticelli maduro en colaboración con ayudantes, ilustran una historia del *Decamerón* de Boccaccio. Nastagio, rechazado por su amada Paola Traversari, pasea solo por el bosque para descubrir la terrible visión de un caballero y sus perros que persiguen, desgarran y destripan a una mujer desnuda. Él nada puede hacer para impedirlo. Cuando han acabado de desentrañarla, la mujer se vuelve a levantar y la persecución empieza de nuevo. A Nastaglio le explican que el caballero se suicidó por amor, y que éste no es sólo su castigo sino también el de ella, cuya crueldad motivó el que se diera muerte. Nastagio invita a su propia amada y a sus familiares a que observen otra vez una representación de la escena y, como consecuencia, Paola sucumbe al amor y accede a casarse con él (acto que se muestra en la cuarta tabla de la serie, que se halla actualmente en una colección particular en Suiza).

1

1
**Antonello da Messina**
Messina, aprox. 1430–79
*Cristo muerto sostenido por un ángel*, aprox. 1475–8
Tabla, 74 × 51 cm
Adquirido en 1965
Nº de Catálogo 3092

2
**Andrea Mantegna**
Isola di Cartura, 1431–Mantua, 1506
*La muerte de la Virgen*, aprox. 1461
Tabla, 54 × 42 cm
Procedente de una capilla del palacio ducal de Mantua (?)
Adquirida para Carlos I de Inglaterra y, después del ajusticiamiento del monarca en 1649, comprada en la venta de sus bienes por cuenta de Felipe IV de España
Nº de Catálogo 248

En una habitación encuadrada por pilastras sombrías, pero abierta a una vista del lago de Mantua, los apóstoles rodean el lecho de la Virgen moribunda. La habilísima perspectiva se coordina perfectamente con las figuras escrupulosamente trazadas y coloreadas. El efecto total es severo, pero de una dignidad viva y conmovedora. Debidamente considerada como obra maestra del temprano Renacimiento, se singulariza por su detallado naturalismo, radiante claridad y solidez de espíritu.

2

1

2

1
**Bernardino Luini**
Luino, aprox. 1480/90–
Milán, 1532
*La Sagrada Familia con San Juan*
Tabla, 100 x 84 cm
Colección de Felipe II
Nº de Catálogo 242

2
**Rafael (Raffaello Sanzio)**
Urbino, 1483–Roma, 1520
*La Virgen del pez (La Virgen con Tobías, el arcángel San Rafael y San Jerónimo)*, aprox. 1514
Tabla pasada a lienzo,
215 x 158 cm
Regalada a Felipe IV en 1645 por el duque de Medina de las Torres
Nº de Catálogo 297

3
**Rafael (Raffaello Sanzio)**
Urbino, 1483–Roma, 1520
*Lo Spasimo di Sicilia (Caída en el camino del Calvario)*, 1517
Tabla pasada a lienzo,
318 x 229 cm
Procedente de la iglesia de Santa María dello Spasimo, cerca de Palermo
Colección de Felipe IV
Nº de Catálogo 298

Esta obra, transportada desde Roma, lleva el nombre de la iglesia siciliana para la cual fue encargada. La iglesia fue dedicada a la congoja y agonía ("spasimo") experimentada por la Virgen al contemplar el sufrimiento de Cristo; el auténtico tema del retablo es la mirada mutua de Cristo –quien tropieza y cae por el peso de la cruz– y su madre angustiada, que en vano le tiende los brazos.

3

4

4
**Rafael (Raffaello Sanzio)**
Urbino, 1483–Roma, 1520
*La Sagrada Familia del cordero,*
1507
Tabla, 29 × 21 cm
Formaba parte de la colección
real en el siglo XVIII
Nº de Catálogo 296

Esta pequeña obra –concebida para la devoción privada– pertenece al período florentino de Rafael, después de su traslado desde Umbría y antes de que llegase a Roma. En aquel tiempo le atraía sobre todo el estilo de Leonardo, y de otros artistas como el joven Miguel Ángel. No obstante, la delicada minuciosidad y serenidad de esta pieza recuerdan su formación en el taller del famoso Perugino. Asimismo, hay ciertos rasgos que reflejan su conocimiento de la pintura flamenca, particularmente en el paisaje.

1

2

1
**Rafael (Raffaello Sanzio)**
Urbino, 1483–Roma, 1520
*Retrato de un Cardenal*, aprox. 1510–12
Tabla, 79 × 61 cm
Colección de Carlos IV
Nº de Catálogo 299

2
**Andrea del Sarto**
Florencia, 1486–1530
*Lucrezia di Baccio del Fede, esposa del artista*, aprox. 1513–14
Tabla, 73 × 56 cm
Formaba parte de la colección en el siglo XVIII
Nº de Catálogo 332

1

2

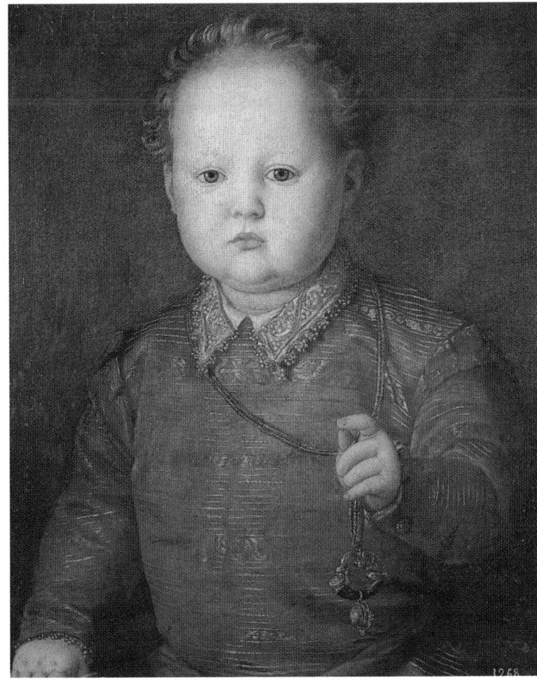

3

1
**Andrea del Sarto**
Florencia, 1486–1530
*Asunto místico*, aprox. 1522–3
Tabla, 177 × 135 cm
Adquirida por Felipe IV en la venta de la colección de Carlos I de Inglaterra en 1649
Nº de Catálogo 334

2
**Antonio Allegri,**
llamado **Correggio**
Correggio, 1489–1534
*Noli me tangere*, aprox. 1534
Tabla pasada a lienzo, 130 × 103 cm
Regalada por el Duque de Medina de las Torres a Felipe IV, quien la envía a El Escorial
Entró en el Museo en 1839
Nº de Catálogo 111

Correggio –pasando por alto las tentaciones de Roma, Florencia y Venecia– trabajó en la ciudad de Parma, en el norte de Italia, manteniendo su originalidad a lo largo del alto Renacimiento para convertirse en uno de los precursores más significativos de la pintura barroca del siglo XVII. No obstante, es indudable que se abrió sobre todo a la influencia de Rafael y Leonardo; su percepción del ideal de belleza y la estructuración de sus composiciones deben mucho a Rafael, mientras que su manejo de las texturas y la luz presupone a Leonardo. Aquí, utiliza la clásica composición piramidal del alto Renacimiento junto con un movimiento diagonal que anticipa el barroco. El exquisito paisaje evoca la luz del alba, cuando María Magdalena encontró a Cristo cerca de la tumba.

3
**Agnolo di Cosimo Mariano,**
llamado **Bronzino**
Florencia, 1503–72
*Don García de Médicis(?)*, aprox. 1550
Tabla, 42 × 38 cm
Colección real
Nº de Catálogo 5

1

2

1
**Francesco Mazzola,**
llamado **Parmigianino**
Parma, 1503–Casalmaggiore, 1540
*La Sagrada Familia (Descanso en la huida a Egipto)*, 1524
Tabla, 110 × 89 cm
Colección real
Nº de Catálogo 283

2
**Federico Fiori**, llamado **Barocci**
Urbino, 1535–1612
*La adoración del Niño*, 1597
Lienzo, 134 × 105 cm
Regalado a la reina Margarita de Austria, esposa de Felipe III, por el duque de Urbino
Nº de Catálogo 18

3
Atribuido a **Giorgione (Giorgio de Castelfranco)**
Castelfranco Veneto(?)–Venecia 1510
*La Virgen con el Niño entre San Antonio de Padua y San Roque*, aprox. 1510
Lienzo, 92 × 133 cm
Regalado a Felipe IV por el duque de Medina de las Torres
Nº de Catálogo 288

La crítica está dividida respecto de la atribución. De hecho, se cree que es un cuadro de la juventud de Tiziano, aunque otros piensan en una de las obras finales de Giorgione.

4
**Giovanni Bellini**
Venecia, aprox. 1430–1516
*La Virgen y el Niño con dos santas*, aprox. 1490
Tabla, 77 × 104 cm
Colección de Felipe IV
Nº de Catálogo 50

3

4

**Tiziano (Tiziano Vecellio)**
Pieve di Cadore, aprox. 1488/90–Venecia, 1576
*Bacanal*, aprox. 1518–19
Lienzo, 175 × 193 cm
Procedente del castillo de Ferrara
Regalado a Felipe IV por Nicolás Ludovisi
Nº de Catálogo 418

Es la última pieza de una magnífica serie realizada para Alfonso d'Este, duque de Ferrara; otra, *Ofrenda a Venus*, también se encuentra en el Prado. Mas la tercera, *Baco y Ariadna*, se halla en la National Gallery de Londres. Los temas proceden de unas descripciones clásicas de ciertas obras de arte. Aquí, Tiziano reproduce un cuadro, visto en Nápoles por el sofista Filostrato en el siglo II, que representaba a los habitantes de la isla griega de Andros regocijándose en el río de vino creado por Dionisio (Baco). Tiziano aprovechó al máximo esta oportunidad tan espléndida de emular el pasado, y el brillante naturalismo y el maravilloso colorido del lienzo revelan calidades supuestamente equiparables a las de Apeles.

**Tiziano (Tiziano Vecellio)**
Pieve di Cadore, aprox. 1488/90–
Venecia, 1576
*El emperador Carlos V en*
*Mühlberg*, 1548
Lienzo, 332 × 279 cm
Colección de Carlos V
Nº de Catálogo 410

Éste es uno de los retratos más dramáticos y monumentales de los realizados por el artista, y comunica no tanto la personalidad del sujeto como los altos ideales de su destino imperial. En la batalla de Mühlberg, el emperador había derrotado a los príncipes luteranos, y Tiziano le representa como el arquetípico caballero cristiano, vencedor de la herejía, como una especie de San Jorge modernº Junto con la soberbia creación de una imagen memorable Tiziano también demuestra su hábil destreza en lo que se refiere a las texturas, tales como la expresión del crepúsculo a través del paisaje y el brillo seductor de la armadura.

1

1
**Tiziano (Tiziano Vecellio)**
Pieve di Cadore, aprox. 1488/90–Venecia, 1576
*Venus y Adonis*, 1554
Lienzo, 186 × 207 cm
Colección de Felipe II
Nº de Catálogo 422

2
**Tiziano (Tiziano Vecellio)**
Pieve di Cadore, aprox. 1488/90–Venecia, 1576
*Dánae recibiendo la lluvia de oro*, 1553
Lienzo, 129 × 180 cm
Colección de Felipe II
Nº de Catálogo 425

3
**Tiziano (Tiziano Vecellio)**
Pieve di Cadore, aprox. 1488/90–Venecia, 1576
*Venus recreándose con el amor y la música*, 1545
Lienzo, 148 × 217 cm
Regalado a Felipe III por el emperador Rodolfo II(?)
Nº de Catálogo 421

2

3

1

2

3

4

1
**Paolo Caliari,**
llamado **Veronés**
Verona, 1528–Venecia, 1588
*La disputa de Jesús con los doctores en el templo*, 1558(?)
Lienzo, 236 × 430 cm
Colección de Felipe IV
Nº de Catálogo 491

2
**Sebastiano Luciani,**
llamado **Sebastiano del Piombo**
Venecia, aprox. 1485–Roma, 1547
*Cristo en el camino del Calvario*, aprox. 1528–30
Lienzo, 121 × 100 cm
Formaba parte de la colección real en el siglo XVI
Nº de Catálogo 345

3
**Lorenzo Lotto**
Venecia, aprox. 1480–Loreto, 1556
*Micer Marsilio y su esposa*, 1523
Lienzo, 71 × 84 cm
Colección de Felipe IV
Nº de Catálogo 240

4
**Paolo Caliari,**
llamado **Veronés**
Verona, 1528–88
*Venus y Adonis*, aprox. 1580
Lienzo, 212 × 191 cm
Colección de Felipe IV
Nº de Catálogo 482

1

2

1
**Paolo Caliari**, llamado **Veronés**
Verona, 1528–Venecia, 1588
*El hallazgo de Moisés*, aprox. 1580
Lienzo, 50 × 43 cm
Colección de Felipe IV
Nº de Catálogo 502

Esta exquisita obra del Veronés maduro demuestra toda la elegancia y refinamiento por los que el pintor fue tan célebre, y sobre todo el soberbio colorido – en las brillantes sedas de las mujeres y el fondo plateado. Los maravillosos efectos de luminosidad se logran por la delicada y sutil yuxtaposición de gamas cromáticas fría y cálida y de contrastes claro y oscuro.

2
**Jacopo Robusti**, llamado **Tintoretto**
Venecia, 1519–94
*El Lavatorio*, aprox. 1547
Lienzo, 210 × 533 cm
Colección de Felipe IV
Adquirido en Londres en 1649 de la colección de Carlos I de Inglaterra
Nº de Catálogo 2824

Se supuso durante largo tiempo que esta obra fue pintada para la iglesia de San Marcuola de Venecia, pero la que copia que aún adorna la iglesia concuerda más con otra versión del mismo tema que hoy días se encuentra en Newcastle-upon-Tyne. Sin embargo, no cabe la menor duda en cuanto a la autoría del lienzo que exhibe el Prado; también se puede decir con certeza que se realizaría durante el mismo período.

Típica de Tintoretto a lo largo de toda su carrera es su dramática escenografía, con las largas vistas diagonales que sirven para transformar los acontecimientos humildes en visiones apocalípticas. No obstante, emplea un brillante y suntuoso colorido, y un modelado firme, mientras que el espacio parece amplio y dilatado y la luz fija y diáfana, lo que permite suponer que Tintoretto ejecutó la obra a principios de su carrera.

3
**Jacopo Robusti**, llamado **Tintoretto**
Venecia, 1519–94
*Retrato de un general veneciano*, aprox. 1570–5
Lienzo, 82 × 67 cm
Regalado a Felipe IV por el marqués de Leganés
Nº de Catálogo 366

4
**Jacopo Robusti**, llamado **Tintoretto**
Venecia, 1519–94
*La dama que descubre el seno*, aprox. 1570
Lienzo, 61 × 55 cm
Colección real
Nº de Catálogo 382

3

4

1

2

1
**Jacopo Robusti**, llamado **Tintoretto**
Venecia, 1519–94
*Batalla entre turcos y cristianos*,
aprox. 1588–9
Lienzo, 189 × 307 cm
Colección de Felipe IV
Nº de Catálogo 399

2
**Jacopo Robusti**, llamado **Tintoretto**
Venecia, 1519–94
*José con la esposa de Putifar*,
aprox. 1555
Lienzo, 189 × 307 cm
Colección de Felipe IV
Nº de Catálogo 395

3

4

3
**Jacopo da Ponte,**
llamado **Jacopo Bassano**
Dal Ponte, aprox. 1510–
Bassano, 1592
*Entrada de los animales en el Arca de Noé*
Lienzo, 207 × 265 cm
Colección real
Nº de Catálogo 22

4
**Jacopo da Ponte,**
llamado **Jacopo Bassano**
o (su hijo) **Francesco da Ponte,**
llamado **Francesco Bassano**
Dal Ponte, aprox. 1510–
Bassano, 1592
*La adoración de los pastores*
Lienzo, 128 × 104 cm
Formaba parte de la colección de Isabel de Farnesio en 1746
Nº de Catálogo 26

**Giovanni Battista Moroni**
Albino, aprox. 1523–
Bérgamo, 1578
*Retrato de un militar*, aprox.
1555–9
Lienzo, 119 × 91 cm
Colección de Felipe IV(?)
Nº de Catálogo 262

**Michelangelo Merisi,**
llamado **Caravaggio**
Caravaggio, aprox. 1570/1–
Porto Ercole, 1610
*David victorioso,*
aprox. 1599–1600
Lienzo 110 × 91 cm
Formaba parte de la colección
real en el siglo XVIII
Nº de Catálogo 65

Caravaggio es de una importancia especial en España, ya que fue responsable de originar el estilo de pintura realista y "tenebrista" que luego gozó de tanta difusión y popularidad en las obras de artistas como Ribera y Zurbarán. Esta obra madura revela los fundamentos de su arte; una enfática solidez creada por el recio contraste de sombra y luz; la calidad inmediata conseguida a fuerza de situar la acción en primer plano así como por la eliminación de todo el espacio a su alrededor (un pintor convencional probablemente hubiera dejado sitio para que David se pusiera de pie); y la supresión de todo tipo de adorno –de colorido o posturas elegantes– a fin de concentrar la atención únicamente sobre el drama.

1

2

3

4

1
**Massimo Stanzione**
Orta di Antilla, 1585–Nápoles, 1656
*La degollación de San Juan Bautista*, aprox. 1634
Lienzo, 184 × 258 cm
Colección de Felipe IV(?)
Nº de Catálogo 258

2
**Aniello Falcone**
Nápoles, 1607–56
*El concierto*
Lienzo, 109 × 127 cm
Formaba parte de la colección real en el siglo XVIII
Nº de Catálogo 87

3
**Simone Cantarini**
Pesaro, 1612–48
*La Sagrada Familia*
Lienzo, 72 × 55 cm
Colección de Carlos IV
Nº de Catálogo 63

4
**Guido Reni**
Bolonia, 1575–42
*Hipómenes y Atalanta*, aprox. 1612
Lienzo, 206 × 297 cm
Colección de Felipe IV
Nº de Catálogo 3090

1

2

1
**Mattia Preti**
Taverna, Calabria, 1613–
La Valletta, 1699
*Cristo en Gloria con santos,*
aprox. 1660
Lienzo, 220 × 253 cm
Adquirido en 1969
Nº de Catálogo 3146

2
**Paolo Porpora**
Nápoles, 1617–73
*Florero*
Lienzo, 77 × 65 cm
Colección de Felipe IV(?)
Nº de Catálogo 569

3
**Orazio Gentileschi**
Pisa, 1563–Londres, 1639,
*Moisés salvado de las aguas,*
aprox. 1630–3
Lienzo, 242 × 281 cm
Colección de Felipe IV
Nº de Catálogo 147

4
**Francesco Albani**
Bolonia, 1578–1660
*El tocador de Venus,* 1633
Lienzo, 114 × 171 cm
Colección de Felipe IV
Nº de Catálogo 1

3

4

1

2

1
**Annibale Carraci**
Bolonia, 1560–Roma, 1609
*La Asunción de la Virgen*,
aprox. 1590
Lienzo, 130 × 97 cm
Regalado a Felipe IV por el conde de Monterrey
Entró en el Prado en 1839
Nº de Catálogo 75

2
**Annibale Carraci**
Bolonia, 1560–Roma, 1609
*Paisaje*, aprox. 1602
Lienzo, 47 × 59 cm
Formaba parte de la colección de Felipe V en 1746
Nº de Catálogo 132

3
**Domenico Zampieri**,
llamado **Domenichino**
Bolonia, 1581–Nápoles, 1641
*El sacrificio de Isaac*
Lienzo, 147 × 140 cm
Colección de Felipe IV
Nº de Catálogo 131

4
**Giovanni Francesco Barbieri**,
llamado **Guercino**
Canto, 1591–Bolonia, 1666
*María Magdalena en el desierto*
Lienzo 121 x 102 cm
Formaba parte de la colección de Isabel de Farnesio en 1746
Nº de Catálogo 203

5
**Guido Reni**
Bolonia, 1575–1642
*Joven con una rosa*
Lienzo, 81 x 62 cm
Colección de Felipe IV
Nº de Catálogo 218

3

4

5

1

2

3

4

1
**Bernardo Strozzi**
Génova, 1581–Venecia, 1644
*Santa Verónica*, aprox. 1625–3
Lienzo, 168 × 118 cm
Formaba parte de la colecció
de Isabel de Farnesio en 174
Nº de Catálogo 354

5

6

5
**Gioacchino Assereto**
Génova, 1600–49
*Moisés y el milagro de la roca*
Lienzo, 245 × 300 cm
Formaba parte de la colección de Isabel de Farnesio en 1746
Nº de Catálogo 1134

6
**Giovanni Benedetto Castiglione**
Génova, 1610–Mantua, 1670
*Diógenes buscando un hombre bueno*
Lienzo, 97 × 145 cm
Adquirido de la colección de Carlo Maratta
Formaba parte de la colección de Felipe V en 1746
Nº de Catálogo 88

2
**Antonio Zanchi**
Este, 1631–Venecia, 1722
*La penitencia de María Magdalena*
Lienzo, 112 × 95 cm
Donado en 1915 por Don Pablo Bosch
Nº de Catálogo 2711

3
**Francesco Furini**
Florencia, 1600–46
*Lot y sus hijas*
Lienzo, 123 × 120 cm
Regalado a Felipe IV por el duque de Toscana
Nº de Catálogo 144

4
**Daniele Crespi**
Busto Arsizio, 1597–Milán, 1630
*La Piedad*, aprox. 1626
Lienzo, 175 x 114 cm
Colección de Carlos II
Adquirido en 1689 de la colección del marqués del Carpio
Nº de Catálogo 128

1

2

1
**Salvatore Rosa**
Nápoles, 1615–73
*Vista del golfo de Salerno,*
aprox. 1640–5
Lienzo, 170 × 260 cm
Formaba parte de la colección real en el siglo XVIII
Nº de Catálogo 324

2
**Viviano Codazzi**
Bérgamo, 1604–Roma, 1670
*San Pedro de Roma, con el obelisco y parte del palacio del Vaticano,*
aprox. 1630
Lienzo, 168 × 220 cm
Colección de Felipe IV
Nº de Catálogo 510

3

4

3
**Andrea Procaccini**
Roma, 1671–La Granja, 1734
*El cardenal Borja*, aprox. 1721
Lienzo, 245 × 174 cm
Legado por el conde de la Cimera en 1944
Nº de Catálogo 2882

A lo largo del siglo XVIII hubo numerosos pintores italianos empleados por patrones españoles, y cantidad de ellos trabajaron durante toda su vida en España. Por consiguiente, existe un inmenso conjunto de lienzos italianos de aquella época, e incluso pinturas murales, en las residencias reales. Andrea Procaccini llegó a ser no sólo pintor de la corte, sino también consejero artístico al servicio del primero de los reyes borbónicos españoles, Felipe V, y sugirió la adquisición de muchas de las obras actualmente en el Prado y el Palacio Real.

4
**Domenico Zampieri**,
llamado **Domenichino**
Bolonia, 1581–Nápoles, 1641
*Arco Triunfal*, aprox. 1607–10
Lienzo, 70 × 60 cm
Adquirido de la colección de Carlo Maratta
Formaba parte de la colección de Felipe IV en 1746
Nº de Catálogo 540

1

2

1
**Alessandro Magnasco**
Génova, 1677–1749
en colaboración con
**Antonio Francesco Peruzzini**
*Cristo servido por los ángeles*, aprox. 1725–30
Lienzo, 193 × 142 cm
Adquirido en 1967
Nº de Catálogo 3124

2
**Giovanni Paolo Pannini**
Piacenza, 1691/2–Roma, 1765
*Jesús entre los doctores*, aprox. 1725
Lienzo, 40 × 62 cm
Colección de Carlos IV
En 1818 en el Palacio Real de Aranjuez
Nº de Catálogo 277

3

4

3
**Giuseppe Antonio Petrini**
Carona, 1677–1758
*Diógenes*
Lienzo, 98 × 75 cm
Adquirido en 1992
Nº de Catálogo 7616

4
**Jacopo Amigoni**
Venecia, aprox. 1680/5–
Madrid, 1752
*El marqués de la Ensenada,*
1750–2
Lienzo, 124 × 104 cm
Adquirido en 1950
Nº de Catálogo 2939

1

1
**Giambettino Cignaroli**
Verona, 1706–70
*Virgen con el Niño Jesús y Santos*
Lienzo 314 × 171 cm
Encargado en 1759 para el altar mayor de la capilla del Palacio de Riofrío
Luego pasó al Palacio de la Granja de San Ildefonso
Nº de Catálogo 99

2
**Gaspard van Wittel**,
llamado **Gasparo Vanvitelli**
Amersfoort, 1653–Roma, 1736
*Vista de la Piazzetta, Venecia, desde San Giorgio*, 1697
Lienzo, 98 × 174 cm
Formaba parte de la colección de Isabel de Farnesio en 1746
Nº de Catálogo 475

3
**Francesco Battaglioli**
Módena, aprox. 1725–Venecia, aprox. 1790
*El palacio de Aranjuez*, 1756
Lienzo, 86 × 112 cm
Adquirido en 1979
Nº de Catálogo 4180

2

3

1

2

3

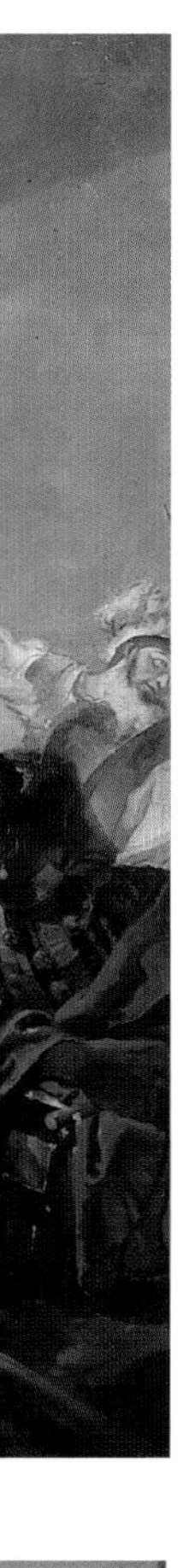

1
**Giambattista Tiépolo**
Venecia, 1696–Madrid, 1770
*La reina Zenobia ante el emperador Aureliano,* aprox. 1717
Lienzo, 250 × 500 cm
Procede de la colección de los marqueses de Casa Riera
Adquirido en 1975
Nº de Catálogo 3243

2
**Giambattista Tiépolo**
Venecia, 1696–Madrid, 1770
Un fragmento de un retablo, *La visión de San Pascual Baylón: el ángel portador de la Eucaristía,* 1769
Lienzo, 185 × 188 cm y 153 × 112 cm
Colección de Carlos III
Nº de Catálogo 364

Según la inscripción que lleva la estampa publicada por su hijo (exhibida al lado de los fragmentos), Tiépolo pintó el retablo en 1770, con lo que debería haber sido su última obra. Sin embargo, en una carta de 1769, Tiépolo mismo habla de haberla terminado. Había llegado a España en 1762, a fin de concluir la decoración del palacio real de Madrid para Carlos III. En 1767 escribió con las noticias de que la decoración se había llevado a cabo y para pedir más trabajo. A pesar de la oposición de ciertos miembros de la corte, recibió el encargo de ejecutar una serie de siete cuadros para la nueva iglesia de San Pascual Baylón – de la cual éste es uno. Mas los gustos contemporáneos iban en contra del tardío estilo barroco del viejo maestro y, apenas acabados, los lienzos fueron arrancados y sustituidos por obras del nuevo estilo neoclásico de Mengs y otros.

3
**Gian Domenico Tiépolo**
Venecia, 1727–1804
*Caída en el camino del Calvario,* 1772
Lienzo, 124 × 144 cm
Procedente de la iglesia de San Felipe Neri de Madrid
Entró en el Museo de la Trinidad en 1836, y posteriormente en el Prado
Nº de Catálogo 358

4
**Giuseppe Bonito**
Castellamare di Stabia, 1701–Nápoles, 1789
*El embajador turco en la corte de Nápoles, rodeado de su séquito,* 1741
Lienzo, 207 × 170 cm
Formaba parte de la colección de Isabel de Farnesio en 1746
Nº de Catálogo 54

5
**Pompeo Batoni**
Luca, 1708–Roma, 1787
*El duque de Gloucester,* 1778
Lienzo, 221 × 157 cm
Formaba parte de la colección real en el siglo XVIII
Nº de Catálogo 49

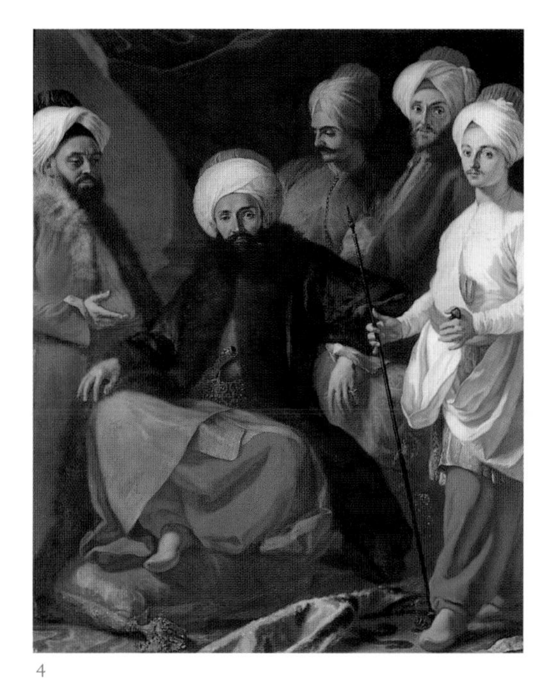

4

5

# LA PINTURA FLAMENCA

Junto con las colecciones de pintura española e italiana, la colección flamenca ocupa un distinguido puesto en el Prado Las obras más primitivas de la colección proceden no sólo de Flandes, sino de Holanda también, dado que en realidad no se llegan a diferenciar las escuelas flamencas y holandesas hasta los umbrales del siglo XVII. No obstante, a partir de entonces, debido a la autonomía política que se instituye en aquellas regiones que tomaron el nombre de Holanda, su estética siguió un camino independiente.

España, a causa de su peculiar historia, siempre se ha caracterizado por su fabulosa riqueza en arte flamenco, especialmente en lo que se refiere a pintura y tapicería, desde los artistas primitivos del siglo XV hasta el apogeo del barroco. Esta herencia puede admirarse en palacios reales, catedrales y monasterios, así como en colecciones públicas y particulares de toda la Península Ibérica. El Museo del Prado, con su amplio e impresionante cúmulo de piezas flamencas, que comprende tanto obras maestras como de rango menor, exhibe el esplendor de este legado excepcional.

Durante la primera parte de la Edad Media, la Península Ibérica mantuvo unas relaciones muy estrechas con los países del Mar del Norte y sobre todo con Flandes. Estos contactos se engendraron y afirmaron a través de un activo comercio con Castilla, lo que produjo una colaboración política que, a su vez, culminó en alianzas matrimoniales contraídas durante el reinado de los Reyes Católicos. El duque de Borgoña y príncipe de Flandes, Felipe el Hermoso, hijo del emperador Maximiliano de Austria y de María de Borgoña, se casó con la infanta Juana (que más tarde sería conocida como "la Loca"), hija de los soberanos españoles y posteriormente heredera de sus estados; mientras, Don Juan, el príncipe de Asturias, presunto sucesor de sus padres en Castilla y Aragón, se casó con Margarita de Borgoña, la hermana de Felipe. Por diversas razones históricas así como por azares de familia, esta fabulosa herencia territorial recaería íntegramente en el hijo mayor de la primera pareja, Carlos de Gante, que sería a partir de 1517 Carlos I de España y desde 1519 Carlos V, emperador del Sacro Imperio.

Como resultado de los numerosos contactos entre el mundo español y el flamenco, que duraron hasta el siglo XVIII, no es de extrañar la interdependencia de las esferas creativas. Artistas flamencos como Van Eyck y Rubens visitaron la Península, del mismo modo que pintores españoles como Dalmau y Sánchez Coello viajaron a las tierras del norte. El factor fundamental que sirvió para reforzar los enlaces artísticos entre ambas regiones y que, a la vez, tuvo el máximo influjo en la tradición pictórica española fue la enorme cantidad de cuadros adquiridos de los Países Bajos que entraron en los diversos sectores sociales –la iglesia, la aristocracia y la clase mercantil– muchos de aquellos encargados específicamente para decorar palacios, santuarios y residencias y otros simplemente comprados en el mercado de arte.

Las convulsiones sociales y religiosas que ocurrieron en los Países Bajos durante la segunda mitad del siglo XVI y la Guerra de Independencia que tuvo lugar en las provincias del norte, persistiendo a lo largo de la primera mitad del siglo XVII (con la notable excepción de la Tregua de los Doce Años), se entretejieron con la Guerra de los Treinta años, que acabó con la Paz de Westfalia de 1648 en la cual se reconoció la autonomía total de Holanda. Por consiguiente, a partir del final del siglo XVI, se puede hablar por primera vez de dos escuelas claramente distintas, la flamenca y la holandesa.

Durante el reinado de Felipe II se incrementó la gran afluencia de obras maestras flamencas del siglo XVI, y el rey encargó la adquisición de numerosas creaciones de diversas escuelas. Entre los obsequios que recibió, se cuenta una tabla atribuida a Gossaert (aunque algunos críticos la sospechan de mano de Van Orley), titulada *La Virgen de Lovaina*, que la ciudad le regaló en 1588 como muestra de gratitud por haberles socorrido durante la peste diez años antes.

Gracias a Felipe II, el Prado posee la colección de obras de El Bosco más importante del mundo; lo logró el soberano esperando pacientemente para comprar una tras otra las tablas del maestro tan pronto como aparecían en venta. Así, *La piedra de la locura* y *La mesa de los Pecados Capitales* se obtuvieron en 1560 de los sucesores de Don Felipe de Guevara, y el incomparable *Jardín de las Delicias* –el famoso y enigmático tríptico que es obra cumbre del arte simbólico– fue adquirido en la venta de los bienes de un hijo natural del duque de Alba. A este conjunto se añadieron dos trípticos más, *La adoración de los Magos* y *El carro de heno*, así como una obra tardía, *Las Tentaciones de San Antonio*.

Durante el siglo XVII, la monarquía española mantuvo estrechos contactos culturales con el mundo flamenco. Éstos fueron intensificados por la constante intervención política de España y los intereses personales de los monarcas y príncipes españoles, tales como Felipe IV y los archiduques gobernadores Isabel Clara Eugenia y Alberto de Austria. Entre todos encargaron gran cantidad de obras a los pintores flamencos. Los más poderosos y opulentos de entre la Iglesia y la aristocracia procuraron conseguir obras de Rubens, quien había establecido un amplio taller que influyó no sólo en el desarrollo de la propia escuela flamenca sino que también afectó al curso del barroco europeo. Como resultado de este patrocinio, la colección de sus obras en el Prado es extensísima y de una calidad excepcional. Lo mismo puede decirse de sus colaboradores, seguidores y alumnos, así como de otros pintores influidos por su personalidad y manera artística.

El deseo de decorar los palacios, las residencias y los centros religiosos de la Casa de Austria con pinturas de ese origen dio lugar a un continuo torrente de obras importadas que seguiría sin interrupción durante muchos años. Entre sus autores más significativos destacan Rubens, por supuesto, y después Van Dyck y Jordaens. El arte de este período puede admirarse por la desbordante riqueza de los grandes bodegones, los paisajes panorámicos y luminosos, la espectacularidad de las composiciones religiosas, los brillantes acontecimientos históricos, así como la grandiosidad de la mitología clásica y las alegorías, la pompa de los retratos con su profunda penetración psicológica, la gracia y elegancia de los cuadros de género y la vivacidad decorativa de la pintura de animales.

Rubens estuvo en España en dos ocasiones. La primera vez fue en 1603, durante el reinado de Felipe III, visita en que firmó un contrato con la corte para realizar la serie de tablas conocidas como *El apostolado* para el duque de Lerma. Años más tarde, en 1628, cuando reinaba Felipe IV, el artista regresó en la plenitud de su madurez y realizó encargos para el monarca. Asimismo, Rubens y su taller ejecutaron gran número de lienzos para la corte española, aunque a veces resulta difícil juzgar en qué medida contribuyó el propio Rubens a dichas obras.

La corona adquirió numerosas creaciones en la testamentaría del pintor, después de su muerte en 1640. Entre ellas se incluyen *La cena en Emaús, La lucha de San Jorge con el dragón* y *Danza de aldeanos*. Rubens también recibió el encargo de decorar la Torre de la Parada, pabellón de caza de El Pardo, y produjo cuadros notables como *El rapto de Deidamia, Heráclito* y *Orfeo y Eurídice*. Preparó, además, muchos de los bocetos para este ambicioso proyecto decorativo, aunque gran parte de ellos serían llevados a cabo por discípulos como Cossiers, Symons y Jordaens. Rubens colaboró muy directamente con éstos y otros pintores en diversas obras; entre las que exhiben el Prado están *Aquiles descubierto*, realizada con Van Dyck, *Ceres y dos ninfas* con Snyders, y *Acto de devoción de Rodolfo I de Habsburgo* con Jan Wildens. Es fama que el Prado también guarda la última obra que debió ejecutar Rubens antes de morir, *Perseo y Andrómeda*, la cual, al quedar inconclusa, fue completada magistralmente por Jordaens.

A tan extensa colección Felipe IV añadió muchas escenas de caza de Paul de Vos y Snyders, así como unas exquisitas obras de Jan Brueghel "el aterciopelado". Entre sus adiciones más sobresalientes pueden contarse la serie de Brueghel que representa *Los cinco sentidos*, regalada por el duque de Medina de las Torres, varias obras de Van Dyck, incluso los dos retratos *El cardenal-infante* y *Martín Ryckaert*, escenas religiosas como *San Jerónimo, La corona de espinas* y *El Prendimiento* (estas tres procedentes de la almoneda del estudio de Rubens), y otras muchas obras importantes de Rombouts, Teniers, Crayer, Jordaens, y los Brueghel.

Durante el reinado de Carlos II, las colecciones reales siguieron ampliándose. Fue durante este período que se adquirieron las preciosas tablas con los bocetos para los cartones de tapicería, de los cuales dos son de Rubens, y *La Sagrada Familia*, que fueron de la colección del marqués del Carpio, así como *El Niño Jesús con San Juan* de Van Dyck.

A lo largo del siglo siguiente, Felipe V y sobre todo su esposa Isabel de Farnesio, coleccionaron con gran interés y mucho éxito. La reina adquirió el mencionado *Apostolado* de Rubens y varias obras de Van Dyck, entre ellas *San Francisco* y *Los desposorios de Santa Catalina*. Compró, además, el famoso *Autorretrato con Sir Endymion Porter*, junto con obras fundamentales de Jordaens, Arthois, Snayers, Teniers, Bril y los Brueghel.

Carlos III efectuó unas adquisiciones muy limitadas y fue su hijo, Carlos IV, quien acumuló las nuevas obras interesantes para la colección, tales como las de Bloemen, Seghers, Teniers, Van Kessel el Viejo, Brueghel y Craesbeeck. Numerosas composiciones se perdieron en el curso de la invasión francesa, llevadas por José Bonaparte quien perdió bastantes en la batalla de Vitoria (se hallan unas cuantas en el Wellington Museum de Londres), mientras que otras se vendieron en Inglaterra y Estados Unidos a mediados del siglo XIX.

Desde la fundación del Prado en 1819, la escuela flamenca ha tenido algunas aportaciones importantes. En 1865, el conde Hugo donó el *Tríptico de los animales* de Van Kessel el Viejo y, en 1889, la duquesa de Pastrana, entre otras piezas, los bocetos de Rubens para la Torre de la Parada. El magnífico legado de Pablo Bosch aportó varias adiciones valiosas: *La Sagrada Familia* de Van Orley, el exquisito *Descanso en la huida a Egipto* de Gerard David, y la singular *Cabeza de un arquero* de El Bosco. En 1928 se adquirió el *Retrato de familia* de Van Kessel el Joven, y en 1930, gracias al legado Fernández Durán, entró la gran serie de cobres con temas religiosos de Francken, así como dos cobres con temas militares de Meulener. Asimismo, deben mencionarse varias adquisiciones más recientes: el retrato ecuestre del *Duque de Lerma* de Rubens, en 1969, una *Piedad* de Jordaens, en 1981, un *Retrato de caballero con sus hijos* de Adrianz Thomasz Key, en 1981, y diversas tablas de Beuckelaert y Teniers, así como lienzos de Snyders y Vos.

Así pues, el Prado puede ofrecer al visitante una espléndida y extensa representación del arte flamenco en todas sus distintas etapas de desarrollo, desde el gótico hasta el barroco. De esta manera, refleja la entera variedad y la riqueza artística de una escuela nacional verdaderamente extraordinaria.

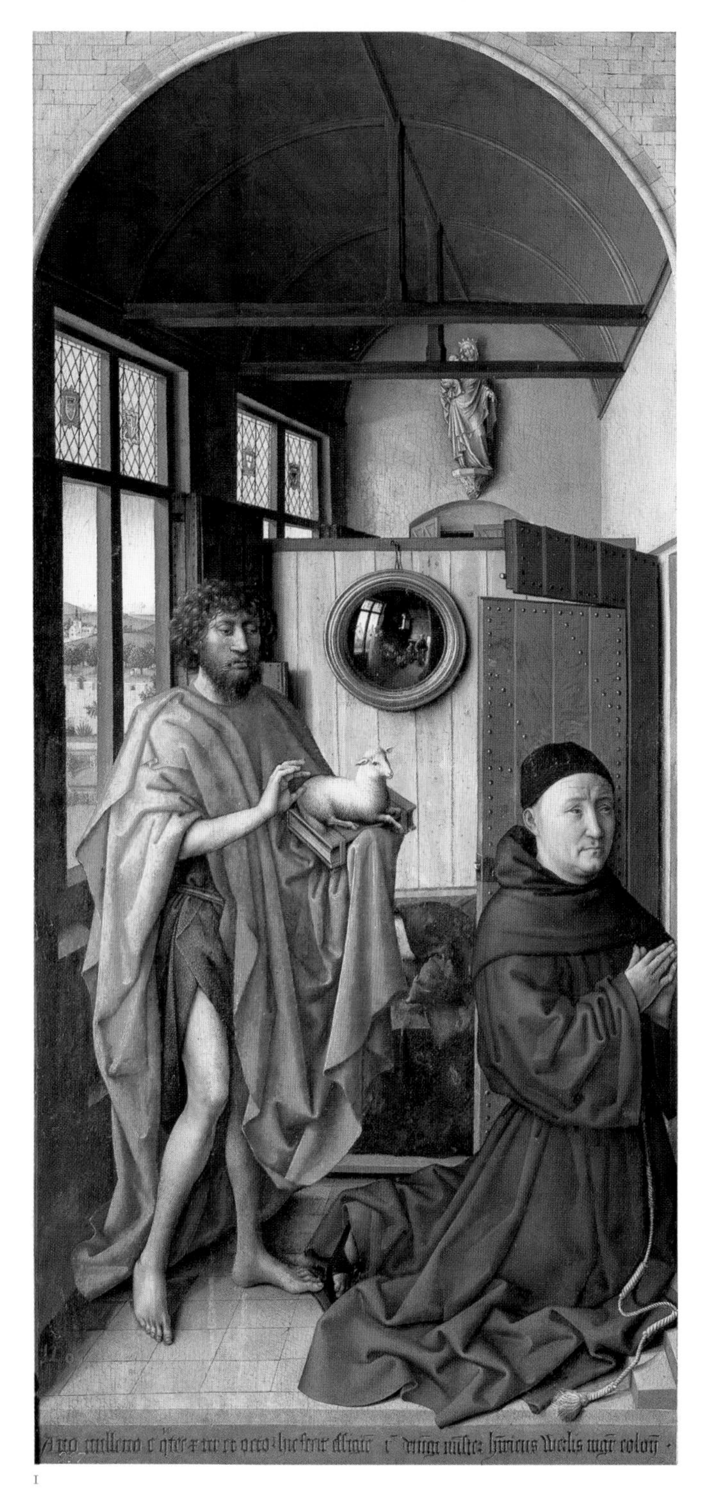

1

2

1
**Robert Campin** también conocido **Maestro de Flémalle**
Tournai, aprox. 1378/9–1444
Portezuela izquierda del retablo de Werl, con *San Juan Bautista y el donante Heinrich von Werl*, 1438
Tabla, 101 × 47 cm
Colección de Carlos IV
Entró en el Prado en 1827
Nº de Catálogo 1513

2
**Robert Campin** también conocido **Maestro de Flémalle**
Tournai, aprox. 1378/9–1444
Portezuela derecha del retablo de Werl, con *Santa Bárbara*, 1438
Tabla, 101 × 47 cm
Colección de Carlos IV
Entró en el Prado en 1827
Nº de Catálogo 1514

Ambas alas pertenecían a un tríptico cuya tabla central se ha perdido. El banco en que está sentada Santa Bárbara y la perspectiva de la habitación entera se ven también en *La Anunciación* de Campin, actualmente en The Cloisters, Nueva York y la toalla blanca y el aguamanil, símbolos de la castidad de la Virgen, están reutilizados aunque éstos no sean los atributos de Santa Bárbara; el habitual de ella es la torre en que estuvo prisionera, que se ve desde la ventana, detalle típico de la racionalización naturalista de símbolos abstractos tan empleada por los primitivos flamencos. El espejo de la pared, que figura en el ala de la izquierda, se ha imitado de *El matrimonio Arnolfini*, pieza realizada cuatro años antes por Jan van Eyck y actualmente en la National Gallery de Londres.

3
**Rogier van der Weyden**
Tournai, aprox.1399–1400–Bruselas, 1464
*La Virgen con el Niño*
Tabla, 100 × 52 cm
Adquirida en 1899 del palacio de Boadilla del Monte
Legada al Prado en 1938 por Don Pedro Fernández Durán
Nº de Catálogo 2722

4
**Franck van der Stockt**
Bruselas, 1420(?)–95
Tabla central de un tríptico con *La Crucifixión*
Tabla, 195 × 172 cm
Procedente del convento de los Ángeles de Madrid
Nº de Catálogo 1888

3

4

**Rogier van der Weyden**
Tournai, aprox. 1399–1400–Bruselas, 1464
*El descendimiento de la cruz,* aprox. 1435
Tabla, 220 × 262 cm
Colección de Felipe II
Nº de Catálogo 2825

Después de instruirse en el taller de Robert Campin, Rogier van der Weyden se trasladó a Bruselas en 1435 y poco después fue nombrado pintor de la ciudad. Alrededor de 1450, cuando parece haber viajado a Italia, ya se había labrado una reputación internacional, y el estilo de sus figuras y composiciones se difundiría por todo el norte de Europa hasta el final de siglo XV. Esta es una de sus obras más influyentes y más copiadas.

La conmovedora escena del descendimiento del cuerpo de Cristo de la cruz, se comprime en un hueco poco profundo para imitar el efecto que se hubiera conseguido más costosamente con una obra esculpida en madera y después pintada.
Sin embargo, para el espectador moderno, la eliminación de las distracciones junto con las figuras monumentales sirve para aumentar el patetismo. La obra fue y sigue siendo extraordinaria por la exactitud con que representa las superficies, y por la elocuente y memorable expresión de la tristeza de los participantes.

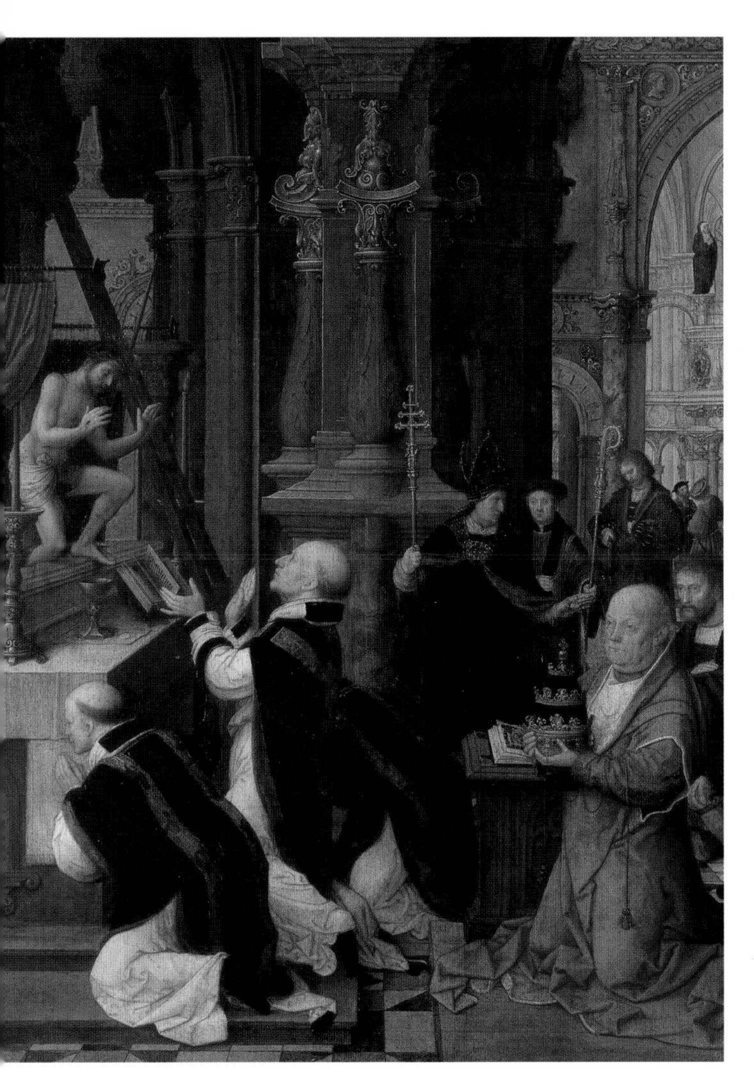

2

**Adriaen Isenbrandt**
Trabaja después de 1510; muerto en 1551 en Brujas
*La misa de San Gregorio*
Lienzo, 72 × 56 cm
Entró en el Prado en 1822 procedente del Palacio Real de Madrid
Nº de Catálogo 1943

2
**Gerard David**
Oudewater, aprox. 1450/60–Brujas, 1523
*La Virgen con el Niño*
Tabla, 45 × 34 cm
Entró en el Prado en 1839 procedente de El Escorial
Nº de Catálogo 1537

Con la muerte de Memling, en 1914, Gerard David se convirtió en el artista principal de Brujas. Esta pequeña tabla, aunque tal vez no del maestro mismo, muestra la delicadeza y suavidad de su obra. La utilización del marco, que crea la impresión de que la Virgen está como asomada a una ventana, sigue una larga tradición de la pintura primitiva flamenca. A través de la ventana se revela un bello paisaje y hállase en el antepecho un florero meticulosamente pintado; claro está que el paisajismo y los bodegones eran especialidades de la escuela flamenca.

1

1
**Dieric Bouts**
Haarlem, aprox. 1420–
Lovaina, 1475
Un políptico, con *La Visitación, l*
*Nativitad, la adoración de los Reye*
*y la Anunciación*, aprox. 1445
Tabla, 80 × 56 cm
Entró en el Prado en 1839
procedente de El Escorial
Nº de Catálogo 1461

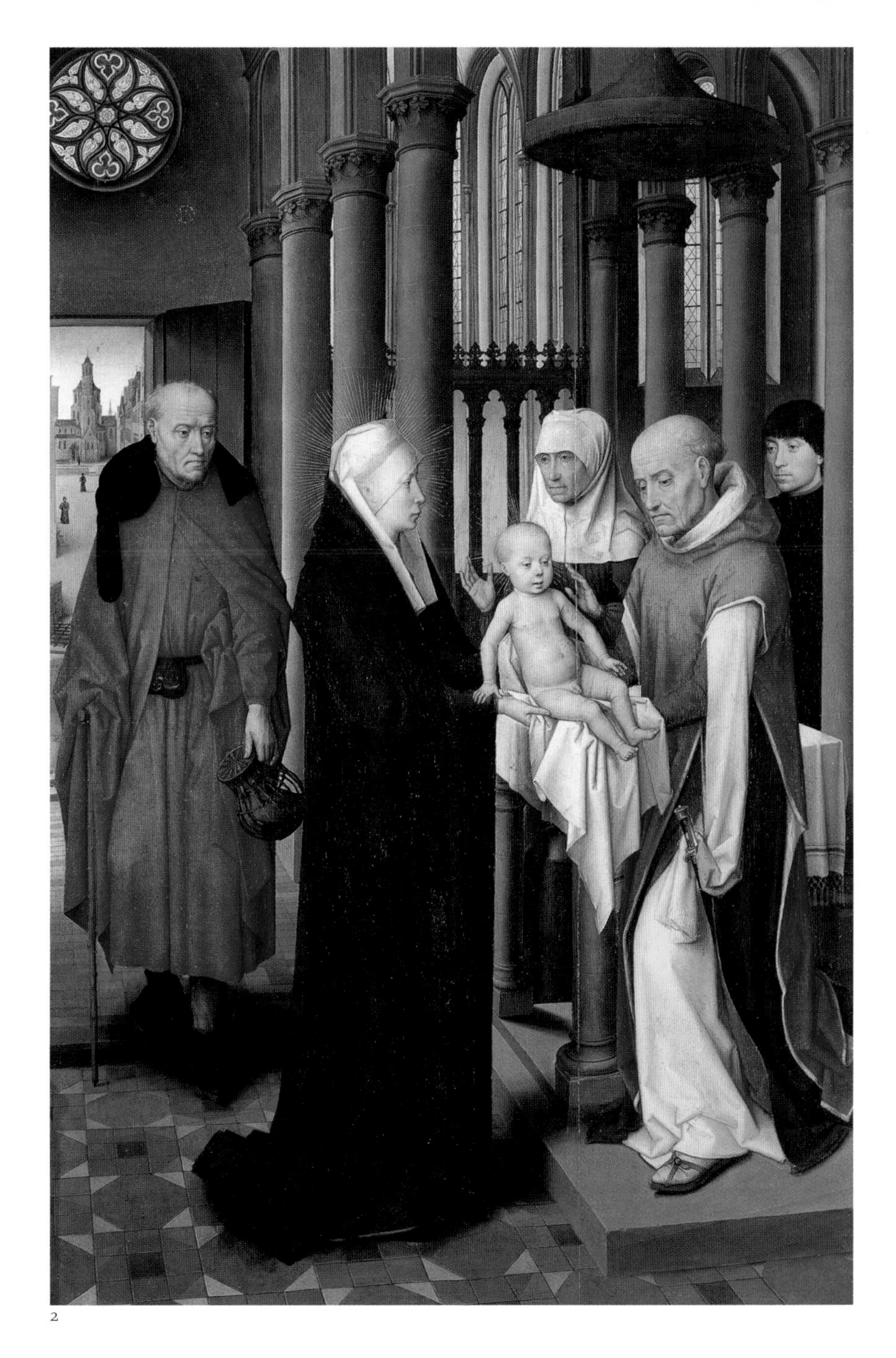

2

2

**Hans Memling**
Seligenstadt, aprox. 1433–
Brujas, 1494
Detalle de un tríptico, *La purificación en el templo*, aprox. 1470
Tabla, 95 × 145 cm (centro),
95 × 63 cm (alas)
Colección de Carlos V
Entró en el Prado en 1847
Nº de Catálogo 1557

Hans Memling se formó en el taller de Rogier van der Weyden en Bruselas y más tarde se estableció en Brujas. Practicó un estilo claro, simétrico, rico en matices y sumamente competente, que carece de la fuerza emotiva de su maestro y del exquisito detalle técnico de Jan van Eyck. Las composiciones de este tríptico siguen modelos establecidos por Van der Weyden, pero son característicamente más apagadas y menos monumentales.

**Hieronymus van Aeken**, llamado **Bosch**, y en España, **El Bosco**
Hertogenbosch, aprox. 1450–1516
*La mesa de los Pecados Capitales*, aprox. 1480
Tabla, 120 × 150 cm
Colección de Felipe II
Nº de Catálogo 2822

Ésta es una de las primeras obras conocidas de El Bosco, y refleja el estilo y los temas que más tarde se considerarían característicos. Perteneció a Felipe II, quien la guardaba en sus aposentos del monasterio de El Escorial.

En el centro, alrededor de la figura de Cristo, aparecen siete escenas que ilustran los siete Pecados Capitales, cada una con la inscripción correspondiente, y compuestas con toda la vivacidad y fantasía típicas del pintor. La Ira nos presenta una escena de celos y de lucha; en la Soberbia, un demonio presenta un espejo a una mujer; en la Lujuria, dos parejas de amantes hablan bajo una tienda, divertidos por un bufón, y en el suelo yacen instrumentos musicales, entre ellos un arpa que reaparecerá en el *Jardín de las Delicias*; la Pereza está representada por una mujer ataviada para ir a la iglesia intentando despertar a un hombre que duerme; la Gula muestra una mesa llena de alimentos y a su alrededor personajes que comen con voracidad; la Avaricia exhibe a un juez que se deja sobornar; y la Envidia ilustra el refrán flamenco "Dos perros con un hueso rara vez llegan a un acuerdo". En las esquinas de la mesa tenemos cuatro círculos con las Postrimerías: Muerte, Juicio Final, Infierno y Gloria.

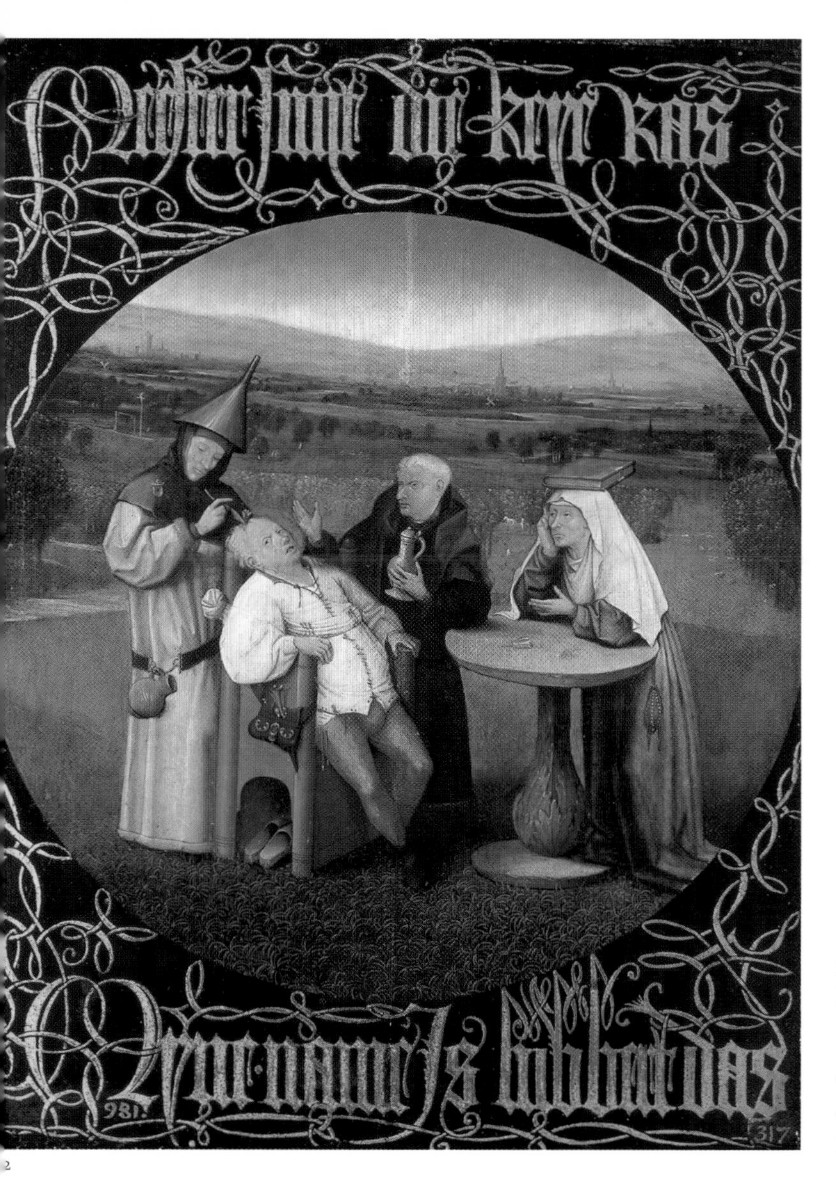

**Hieronymus van Aeken**, llamado
**Bosch**, y en España, **El Bosco**
Hertogenbosch, aprox. 1450–1516
*La piedra de la locura*, aprox. 1490
Tabla, 48 × 35 cm
Colección de Felipe II
Nº de Catálogo 2056

**Hieronymus van Aeken,** llamado **Bosch,** y en España, **El Bosco**
Hertogenbosch, aprox. 1450–1516
*El Jardín de las Delicias,* aprox. 1510
Tabla, 220 × 195 cm (centro), 220 × 97 cm (alas)
Colección de Felipe II
Nº de Catálogo 2823

Las extrañas y enigmáticas fantasías que pueblan la obra de Bosch le ganaron una fama enorme, incluso en vida, y sus creaciones inspiraron numerosas imitaciones. De hecho, no hay nada ni de su propia obra ni tampoco en la de sus contemporáneos que iguale la inventiva del tríptico del *Jardín de las Delicias,* su pintura más célebre, con razón.

Ha habido muchas tentativas de relacionar estas fantasías con las realidades de su propia época. De esta manera, se han asociado algunas de las visiones de tipo sexual con las creencias de la secta herética de los adamitas, que se difundió por el norte de Europa durante la Edad Media, y que predicaba, teóricamente por lo menos, la libertad sexual tal como hubiese existido en El Edén. No obstante, la línea de investigación más plausible ha sido la que reconoce muchas de las imágenes como ilustraciones

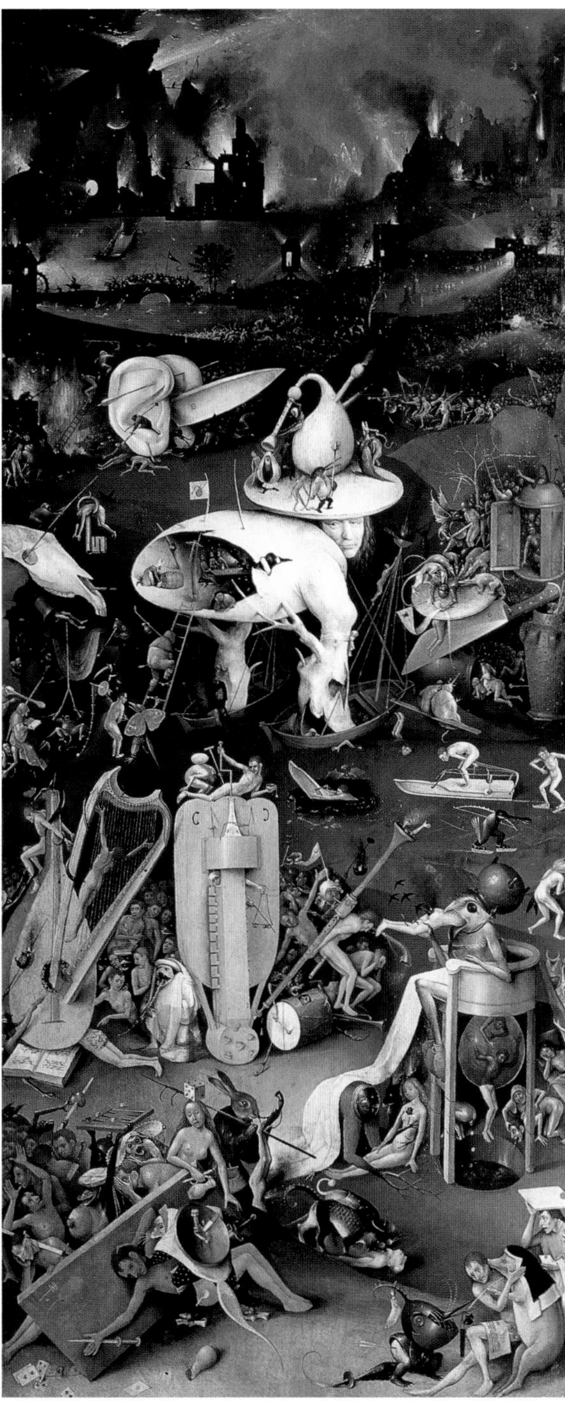

de refranes populares, como en el caso de los amantes en la bola de cristal que parecen recordar el proverbio "El placer es tan frágil como el vidrio". Asimismo, se puede aplicar el mismo argumento en cuanto a la relación de algunas de las fantasías que aparecen en obras posteriores, tales como *La piedra de la locura* y *El carro de heno*, que a la vez enlazan con la interpretación de proverbios que desarrolló Brueghel a mediados del siglo XVI, aunque sin la profusión de elementos satánicos en la obra de este maestro del espíritu fantástico.

jheronimus bos

2

1
**Hieronymus van Aeken,** llamado **Bosch,** y en España, **El Bosco**
Hertogenbosch, aprox. 1450–1516
*El carro de heno,* aprox. 1495–1500
Tabla, 135 × 100 cm (centro),
135 × 45 cm (alas)
Colección de Felipe II
Nº de Catálogo 2052

Desde 1486, El Bosco fue miembro de la Cofradía de Nuestra Señora, que mantenía estrechas relaciones con la más ascética Cofradía de los Hermanos de la Vida en Común, fundada al final del siglo XIV. Movimiento hondamente renovador, los Hermanos de la Vida en Común atacaban sobre todo el corrompido clero medieval y veían los placeres del mundo como camino seguro al infierno. El tríptico cerrado muestra en su exterior el Camino de la Vida, que tal vez alude a los ideales de la Cofradía.

La tabla central se basa en el proverbio "El mundo es un carro de heno del que cada uno toma lo que puede". En efecto, se representa a todo tipo de persona afanándose por coger lo que pueda, desde el Papa (a la izquierda, montado a caballo) hasta la gitana (en primer plano) que engaña con la buenaventura a una dama crédula, mientras que su hija le roba la cartera. La obra es una sátira sobre un mundo que ha abandonado a Dios.

2
**Hieronymus van Aeken,** llamado **Bosch,** y en España, **El Bosco**
Hertogenbosch, aprox. 1450–1516
*La adoración de los Magos,*
aprox. 1510
Tabla, 138 × 72 cm (centro),
138 × 34 cm (alas)
Colección de Felipe II
Entró en el Prado en 1839
Nº de Catálogo 2048

Esta obra tardía, con donantes, marido y mujer, en las alas izquierda y derecha, es un retablo de formato y tema tradicional. No obstante, figuran algunas de las intrusiones que podrían esperarse de El Bosco, no tanto los pastores, bastante graciosos, que han trepado al techo de la cabaña para ver al Niño, como la inquietante figura del rey vestido de manera tan extraña que se asoma por la puerta del establo. Su identidad no está clara: ¿es Herodes, el Anticristo, o simplemente un trastornado que se burla del milagroso suceso o que, por el contrario, ha recuperado el juicio?

1

2

1
**Bernard van Orley**
Bruselas, aprox. 1491–1542
*La Virgen de Lovaina*
Tabla, 45 × 49 cm
Regalada a Felipe II por la ciudad de Lovaina en 1588
Entró en el Prado en 1839
Nº de Catálogo 1536

2
**Jan Gossaert**, llamado **Mabuse**
Maubeuge, aprox. 1478–Middelburgo, aprox. 1533–6
*La Virgen con el Niño*, aprox. 1527
Tabla, 63 × 50 cm
Colección de Felipe II
Nº de Catálogo 1930

3
**Joachim Patinir** y **Quentin Massys** o **Metsys**
Bouvignes, aprox. 1480–Amberes, 1530; Lovaina, aprox. 1465/6–Ambéres, 1530
*Las tentaciones de San Antonio Abad*
Tabla, 155 × 173 cm
Colección de Felipe II
Nº de Catálogo 1615

4
**Joachim Patinir**
Bouvignes, aprox. 1480–Amberes, 1530
*El paso de la laguna Estigia*
Tabla, 64 × 103 cm
Formaba parte de la colección real en el siglo XVIII
Nº de Catálogo 1616

Notable paisajista, Joachim Patinir trabajó en Amberes, y a menudo creaba los fondos para las figuras de otros maestros como Massys o Isenbrandt. En su propia obra, el paisaje se convierte en el elemento de mayor importancia, de manera que las figuras que lo justifican –aunque se sitúen en primer plano– a veces quedan casi totalmente eclipsadas. Aspiró a comunicar la impresión de inmensas vistas panorámicas, y las realizó no desde un punto de vista natural, sino de elevación artificial. Característicamente, el paisaje se aviva con efectos dramáticos del tiempo o un incendio, siguiendo un estilo que recuerda a El Bosco.

3

4

1

2

1
**Bernard van Orley**
Bruselas, aprox. 1491–1542
*La Sagrada Familia*, 1522
Tabla, 90 × 74 cm
Procedente del convento de Las Huelgas de Burgos
Legada por Don Pablo Bosch en 1915
Nº de Catálogo 2692

2
**Quentin Massys** o **Metsys**
Lovaina, aprox. 1465/6–Amberes, 1530
*Cristo presentado al pueblo*, aprox. 1515
Tabla, 160 × 120 cm
Legada en 1936 por Don Mariano Lanuza
Entró en el Prado en 1940
Nº de Catálogo 2801

3
**Anthonis Mor van Dashorst**, conocido como **Antonio Moro**
Utrecht, 1519–Amberes, 1575
*La reina María de Inglaterra, María Tudor, segunda esposa de Felipe II*, 1554
Tabla, 109 × 84 cm
Colección de Carlos V
Nº de Catálogo 2108

3

1

1
**Marinus Claeszon van Reymerswaele**
Roemeswaele, aprox. 1497–después de 1567
*El cambista y su mujer*, 1539
Tabla, 83 × 97 cm
Legada por el duque de Tarifa en 1934
Nº de Catálogo 2567

2
**Pieter Brueghel el Viejo**
Breda(?), aprox. 1525/30–Bruselas, 1569
*El triunfo de la muerte*, aprox. 1562
Tabla, 117 × 162 cm
Formaba parte de la colección real en el siglo XVIII
Nº de Catálogo 1393

3
**Jan Cornelisz Vermeyen**
Beverwilk, aprox. 1500–Bruselas, 1559
*Santísima Trinidad*
Tabla, 98 × 84 cm
Adquirida en 1970
Nº de Catálogo 3210

2

3

1

1
**Frans Francken II**
Amberes, 1581–1642
*Neptuno y Anfitrite*
Cobre, 30 × 41 cm
Formaba parte de la colección real en el siglo XVIII
En la quinta del duque del Arco en 1794
Nº de Catálogo 1523

2
**Peter Paul Rubens**
Siegen, 1577–Amberes, 1640
*El duque de Lerma*, aprox. 1603
Lienzo, 283 × 200 cm
Adquirido en 1869
Nº de Catálogo 3137

Rubens realizó este cuadro durante su primera estancia en España, utilizándolo para mostrar sus talentos y llamar la atención de la corte. Ya se notan muchos de los elementos de su maduro estilo barroco, que seguramente fueron considerados como nuevos y sorprendentes por un público tan exclusivo. Su manera de representar el caballo de modo que no sólo parece avanzar hacia el espectador sino estar a punto de invadir su espacio –efecto logrado por el punto de vista tan bajo y la ausencia de otros elementos en primer plano, que recuerda la técnica de Caravaggio– fue espectacular, y rompió con el perfil tradicional de los retratos ecuestres. Entre los demás recursos utilizados por Rubens a fin de aumentar la vistosidad pueden contarse el colorido excéntrico, la tempestuosa iluminación, y la energía algo inquietante de las crines del caballo y el follaje de los árboles.

1

2

eter Paul Rubens
iegen, 1577–Amberes, 1640
*a adoración de los Magos,*
prox. 1609; agrandado
repintado en 1628
ienzo, 345 × 438 cm
olección de Felipe IV
º de Catálogo 1638

2
**Peter Paul Rubens**
Siegen, 1577–Amberes, 1640
*El triunfo de la iglesia sobre la furia, la discordia y el odio,*
aprox. 1628
Boceto sobre tabla para un tapiz, 86 × 105 cm
Colección de Felipe IV
Nº de Catálogo 1698

3
**Peter Paul Rubens**
Siegen, 1577–Amberes, 1640
*La lucha de San Jorge con el dragón,* aprox. 1606
Lienzo, 304 × 256 cm
Adquirido por Felipe IV
en la testamentaría del pintor
Nº de Catálogo 1644

FERDINANDVS
DEI GRATIA HISPANIARVM INFANS
PHILIPPI FILIVS PII PHILIPPI PRVDENTIS NEPOS INVICTI CAROLI PRONEPOS
PHILIPPI MAGNI FRATRIS AVSPICIIS AQVILA CESAREA COMITE VLTIONIS DIVINAE FVLMEN

1

2

3

4

1
**Peter Paul Rubens**
Siegen, 1577–Amberes, 1640
*El cardenal-infante don Fernando,* aprox. 1634
Lienzo, 335 × 258 cm
Colección de Felipe IV
Nº de Catálogo 1687

2
**Peter Paul Rubens**
Siegen, 1577–Amberes, 1640
*Santiago el Mayor,* aprox. 1612–13
Tabla, 108 × 84 cm
Formaba parte de la colección de Isabel de Farnesio en 1746
Entró en el Prado en 1829
Nº de Catálogo 1648

3
**Peter Paul Rubens**
Siegen, 1577–Amberes, 1640
*María de Médicis, reina de Francia,* aprox. 1622
Lienzo, 130 × 108 cm
Adquirido por Felipe IV en la testamentaría del artista
Nº de Catálogo 1685

4
**Peter Paul Rubens**
Siegen, 1577–Amberes, 1640
*Las tres gracias,* aprox. 1636–8
Tabla, 221 × 181 cm
Adquirida por Felipe IV en la testamentaría del pintor
Nº de Catálogo 1670

1

2

3

4

5

1
**Peter Paul Rubens**
Siegen, 1577–Amberes, 1640
*El jardín del amor*, aprox. 1633
Lienzo, 198 × 283 cm
Colección de Felipe IV
Nº de Catálogo 1690

Esta espléndida visión plena de sensualidad adornó la alcoba de Felipe IV. El tema es tradicional de la Edad Media cuando, según las convenciones del período, los amantes se trataban en un jardín, a veces junto a símbolos con mensajes morales. Durante el Renacimiento italiano el tema se había representado en *fêtes champêtres*, tal como la que se encuentra en el Louvre atribuida a Giorgione o Tiziano. Este lienzo de Rubens supone un eslabón importante dentro de la tradición que se origina en aquellas obras para extenderse hasta las de Watteau y Pater en el siglo XVIII.

2
**Peter Paul Rubens**
Siegen, 1577–Amberes, 1640
*El desembarco de Baco en la isla de Andros*
Tabla, 73 × 106 cm
Adquirida por Felipe IV
en la testamentaría del artista
Nº de Catálogo 1691

3
**Peter Paul Rubens**
Siegen, 1577–Amberes, 1640
*Paisaje con la caza del jabalí de Calidonia*, antes de 1636
Lienzo, 160 × 260 cm
Colección de Felipe IV
Nº de Catálogo 1622

4
**Peter Paul Rubens**
Siegen, 1577–Amberes, 1640
*Saturno devorando a un hijo*, aprox. 1636–8
Lienzo, 180 × 87 cm
Encargado por Felipe IV para la
Torre de la Parada
Nº de Catálogo 1678

5
**Peter Paul Rubens**
Siegen, 1577–Amberes, 1640
*Perseo y Andrómeda*, aprox. 1640
(concluido por Jacob Jordaens)
Lienzo, 265 × 160 cm
Colección de Felipe IV
Nº de Catálogo 1663

1

2

3

4

1
**Peter Paul Rubens**
Siegen, 1577–Amberes, 1640
*El juicio de Paris*, aprox. 1639
Tabla, 199 × 379 cm
Colección de Felipe IV
Entró en el Prado en 1839
Nº de Catálogo 1669

2
**Peter Paul Rubens**
Siegen, 1577–Amberes, 1640
*El banquete de Tereo*,
aprox. 1636–8
Tabla, 195 × 267 cm
Encargada por Felipe IV para
la Torre de la Parada
Nº de Catálogo 1660

3
**Jacob Jordaens**
Amberes, 1593–1678
*Autorretrato con su familia*,
aprox. 1620–2
Lienzo, 181 × 187 cm
Colección de Felipe V
Entró en el Prado en 1829
Nº de Catálogo 1549

4
**Jacob Jordaens**
Amberes, 1593–1678
*Ofrenda a Ceres, diosa de la cosecha*, aprox. 1618–20
Lienzo, 165 × 112 cm
Formaba parte de la colección
real en el siglo XVIII
Nº de Catálogo 1547

1

2

3

4

1
**Jacob Jordaens**
Amberes, 1593–1678
*El amor de Cupido y Psique*, aprox. 1630
Lienzo montado en una tabla, 131 × 127 cm
Colección de Felipe IV
Nº de Catálogo 1548

2
**Frans Pourbus**
Amberes, 1569–París, 1622
*María de Médicis, reina de Francia*, 1617
Lienzo, 215 × 115 cm
Colección real
Nº de Catálogo 1624

3
**Frans Luyck**
Amberes, 1604–Viena, 1668
*María de Habsburgo, emperatriz de Austria*, aprox. 1646
Lienzo, 215 × 147 cm
Colección de Felipe IV(?)
Nº de Catálogo 1272

4
**Gaspard de Crayer**
Amberes, 1584–Gante, 1669
*El cardenal-infante don Fernando*, 1639
Lienzo, 219 × 125 cm
Colección de Felipe IV
Nº de Catálogo 1472

1

2

1
**Jan van Kessel el Joven**
Amberes, 1654–Madrid, aprox. 1708
*Retrato de familia*, 1680
Lienzo, 127 × 167 cm
Adquirido en 1928
Nº de Catálogo 2525

2
**Anton Van Dyck**
Amberes, 1599–Londres, 1641
*Los desposorios de Santa Catalina*, aprox. 1618–20
Lienzo, 121 x 173 cm
Formaba parte de la colección real en el siglo XVIII
Nº de Catálogo 1544

3
**Anton Van Dyck**
Amberes, 1599–Londres, 1641
*El Prendimiento*, aprox. 1618–20
Lienzo, 344 × 249 cm
Adquirido por Felipe IV en la testamentaría de Peter Paul Rubens
Nº de Catálogo 1477

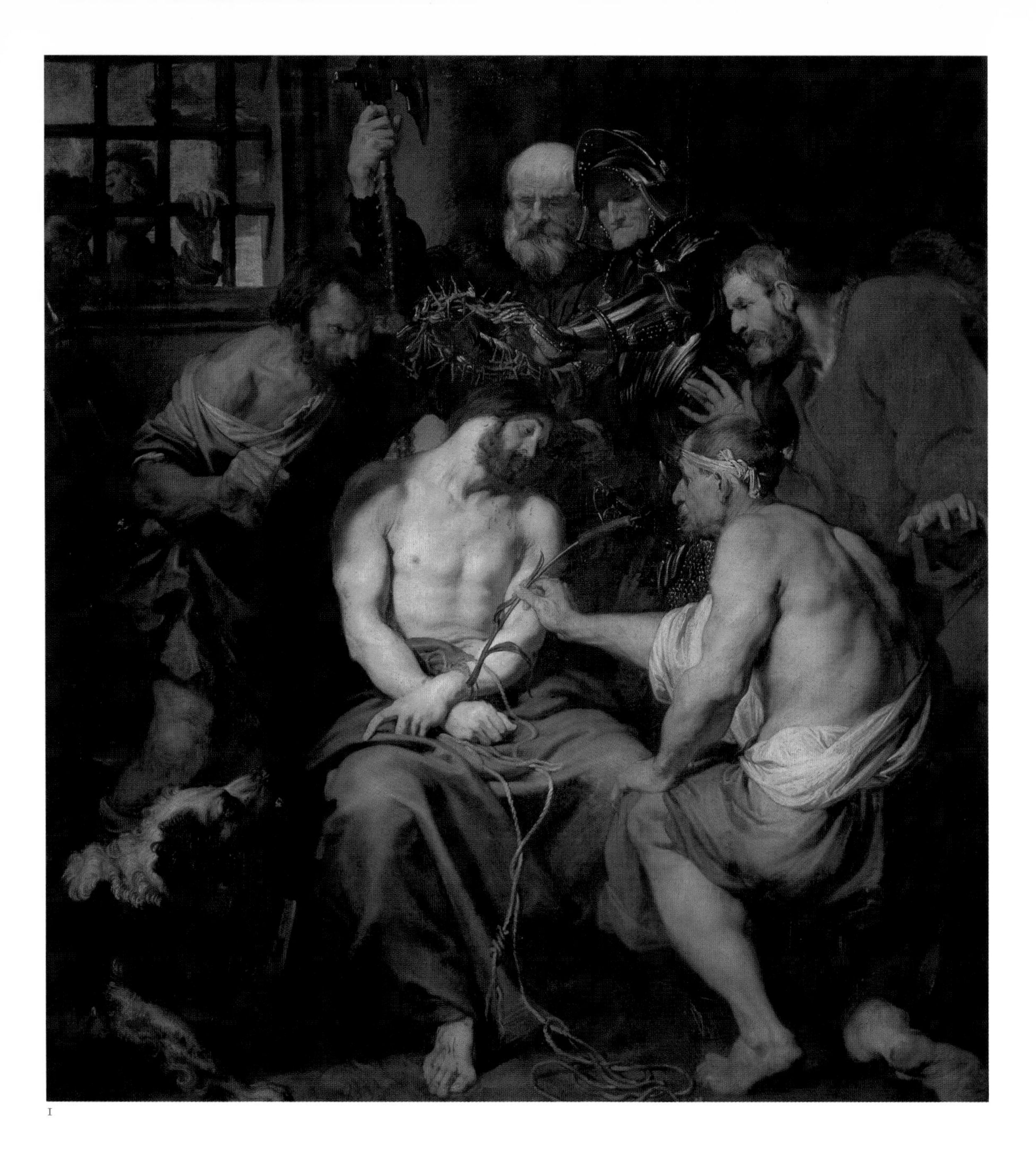

1

1
**Anton Van Dyck**
Amberes, 1599–Londres, 1641
*La coronación de espinas,*
aprox. 1618–20
Lienzo, 223 × 196 cm
Colección de Felipe IV
Entró en el Prado en 1839
Nº de Catálogo 1474

Ésta es una obra temprana de Van Dyck, que logra transmitir con sumo vigor el contraste entre la serenidad de Cristo y la vileza de sus torturadores. Como hacía con frecuencia, Van Dyck se inspiró en un famoso cuadro de Tiziano, dada su gran admiración por este artista. No obstante, también destaca la influencia de Rubens, y la presentación resulta típicamente barroca: frente a la violencia que se retrata, al espectador se le obliga a adoptar el papel de testigo impotente. El artista refuerza el efecto con magníficas texturas – tales como el pecho descubierto de Cristo en contraposición con el preciso destello del hacha o la fluida musculatura del sayón a su lado.

2
**Anton Van Dyck**
Amberes, 1599–Londres, 1641
*Martin Ryckaert,* aprox. 1627–32
Lienzo, 148 × 113 cm
Colección de Felipe IV
Nº de Catálogo 1479

3
**Anton Van Dyck**
Amberes, 1599–Londres, 1641
*Autorretrato con Sir Endymion Porter,* aprox. 1632–41
Lienzo, 110 × 114 cm
Formaba parte de la colección de Isabel de Farnesio en 1746
Nº de Catálogo 1489

2

3

1

2

3

1
**Adriaen van Utrecht**
Amberes, 1599–1653
*Una despensa*, 1642
Lienzo, 221 × 307 cm
Formaba parte de la colección de Isabel de Farnesio en 1746
Nº de Catálogo 1852

2
**Osias Beert**
Amberes, aprox. 1580–1624
*Bodegón*
Tabla 43 × 54 cm
Formaba parte de la colección de Isabel de Farnesio en 1746
Nº de Catálogo 1606

3
**Clara Peeters**
Amberes, 1594–1659
*Bodegón*, 1611
Tabla, 52 × 73 cm
Formaba parte de la colección de Isabel de Farnesio en 1746
Nº de Catálogo 1620

4

5

6

4
**Jan Fyt**
Amberes, 1611–61
*Bodegón con un perro*
Tabla, 77 × 112 cm
Formaba parte de la colección de Isabel de Farnesio en 1746
Nº de Catálogo 1529

5
**Alexander van Adriaenssen**
Amberes, 1587–61
*Bodegón*
Tabla, 60 × 91 cm
Legada a Felipe IV por el marqués de Leganés en 1652
Nº de Catálogo 1343

6
**Denis van Alsloot**
Malinas, 1570–Bruselas, 1628
*Patinando en carnaval,*
aprox. 1620
Tabla, 57 × 100 cm
Formaba parte de la colección de Isabel de Farnesio en 1746
Nº de Catálogo 1346

1

2

1
**Pieter Brueghel el Joven**
Bruselas, 1564–Amberes, 1638
*Paisaje invernal con una trampa para pájaros*
Tabla, 40 × 57 cm
Formaba parte de la colección de Isabel de Farnesio en 1746
Nº de Catálogo 2045

2
**Jan Miel**
Beveren-Was, 1599–Turín, 1663
*El carnaval de Roma*, 1653
Lienzo, 68 × 50 cm
Colección de Felipe IV
Nº de Catálogo 1577

3

4

3
**Jan Brueghel el Viejo** y
**Peter Paul Rubens**
Amberes, 1568–1625; Siegen, 1577–Amberes, 1640
*La visión de San Huberto*, aprox. 1620
Tabla, 63 × 100 cm
Legada a Felipe IV por el marqués de Leganés
Nº de Catálogo 1411

4
**Joos de Momper**
Amberes, 1564–1635
*Paisaje*
Lienzo, 174 × 256 cm
Nº de Catálogo 1592

Joos de Momper continuó la tradición del paisajismo panorámico instituida por Patinir y Pieter Brueghel el Viejo. La fórmula frecuente de colocar las tonalidades marrones en primer plano, las verdes en el medio y las de azul claro al fondo, crea la sensación de espacio etéreo – efecto intensificado por las formas oscuras de los pájaros que vuelan contra el brumoso colorido celeste de azul y blanco. En primer plano se halla el grupo habitual de figuras pintorescas.

1

1
**Joos de Momper** y
**Jan Brueghel el Viejo**
Amberes, 1564–1635; Amberes, 1568–1625
*Mercado y lavadero flamenco*
Lienzo, 166 × 194 cm
Formaba parte de la colección real en el siglo XVIII
Nº de Catálogo 1443

2
**Jan Brueghel el Viejo** y
**Peter Paul Rubens**
Amberes, 1568–1625; Siegen, 1577–Amberes, 1640
*La vista*, 1617
Tabla, 65 × 109 cm
Regalada a Felipe IV por el duque de Medina Sidonia en 1636
Nº de Catálogo 1394

3
**Jan Brueghel el Viejo** y
**Peter Paul Rubens**
Amberes, 1568–1625; Siegen, 1577–Amberes, 1640
*La Virgen y el Niño rodeados por una guirnalda de flores y frutas*, aprox. 1614–18
Tabla, 79 × 65 cm
Colección de Felipe IV
Nº de Catálogo 1418

4
**Jan Brueghel el Viejo**
Amberes, 1568–1625
*Florero*
Tabla, 49 × 39 cm
Colección real
Nº de Catálogo 1423

2

3

4

**Paul Bril** y **Peter Paul Rubens**
Amberes, 1554–Roma, 1626;
Siegen, 1577–Amberes, 1640
*Paisaje con Júpiter visitando a Psique*, 1610
Lienzo, 93 × 128 cm
Colección de Felipe IV
Nº de Catálogo 1849

**Jan Brueghel el Viejo** y
**Hendrick de Clerck**
Amberes, 1568–1625;
Bruselas(?)–1630
*La abundancia y los cuatro elementos,* aprox. 1606
Cobre, 51 × 64 cm
Colección de Felipe V
Entró en el Prado en 1824
Nº de Catálogo 1401

1

1
**David Teniers el Joven**
Amberes, 1610–Bruselas, 1690
*Festejo de campesinos*, aprox. 1650
Lienzo, 69 × 86 cm
Colección de Carlos IV
Nº de Catálogo 1785

2
**David Teniers el Joven**
Amberes, 1610–Bruselas, 1690
*Carnaval: "Le roi boit"*
Cobre, 58 × 70 cm
Formaba parte de la colección real en el siglo XVIII
Nº de Catálogo 1797

3
**David Teniers el Joven**
Amberes, 1610–Bruselas, 1690
*El archiduque Leopoldo Guillermo en su galería de pinturas*,
aprox. 1647
Cobre, 106 × 129 cm
Regalado a Felipe IV por el archiduque Leopoldo Guillermo antes de 1653
Nº de Catálogo 1813

David Teniers fue pintor de cámara del archiduque Leopoldo Guillermo de Habsburgo, gobernador de Flandes, y también conservador de su extraordinaria colección de pinturas y esculturas. Realizó varios retratos de este tipo, compuestos en el ámbito de una galería. El archiduque (con el sombrero puesto) se retrata enseñando su abundante colección a unos visitantes. La mayoría de las obras son venecianas, y casi la mitad pintadas por Tiziano. No obstante, también hay obras de otros artistas venecianos como Giorgione, Antonello da Messina, Palma el Viejo, Tintoretto, Bassano y Veronés, así como de Mabuse, Holbein, Bernardo Strozzi, Guido Reni y Rubens. La escultura que soporta la mesa es un bronce de Duquesnoy el Joven, que representa a Ganimedes. Teniers se representó a sí mismo en la figura del extremo izquierdo. Se ha sugerido que Velázquez tomase la idea de la puerta entreabierta al fondo del cuadro para *Las meninas* y, hasta cierto punto, ambos cuadros pretenden ilustrar el culto amparo del patrón y el orgullo correspondiente del artista de la corte.

2

3

# LA PINTURA FRANCESA

La colección de pintura francesa consiste en más de trescientos cuadros y ofrece una perspectiva, incompleta pero sumamente sugestiva, desde fines del siglo XVI hasta bien avanzado el XIX, con una representación particularmente buena de las obras de los siglos XVII y XVIII.

Curiosamente, el siglo XVII, que contempla el ascenso de los Borbones y la decadencia de los Habsburgo, así como el largo período de la Guerra de los Treinta Años y las campañas de Luis XIV, presenció numerosas alianzas matrimoniales entre la familia real francesa y la española. Aunque estas relaciones dinásticas no impidieron los conflictos armados, de vez en cuando ocasionaron el intercambio de retratos y otros obsequios, aunque por lo general las hostilidades entre ambos países constituyeron uno de los principales obstáculos para cualquier entendimiento mutuo a nivel estético.

De todas formas, a pesar de esta falta de comunicación, había ciertos grupos con acceso a ambos países –comerciantes, buhoneros, marineros y viajeros de otras naciones– quienes parecen haber introducido en España grandes cantidades de estampas de obras francesas, las cuales influirían en alguna medida en los pintores españoles del período de Zurbarán a Goya. Sin embargo, la postura oficial española durante este siglo era de adquirir obras italianas y flamencas; además la pintura francesa era casi desconocida en la Europa de esta época; ni tenía una larga tradición ni tampoco existían autores significativos en la primera parte del siglo cuyo renombre pudiera hacerles ser buscados por los coleccionestas. No obstante, hubo algunos cuadros franceses que lograron entrar en España por vía de Italia, donde había una activa colonia de artistas franceses localizada en Roma; pero tales cuadros nunca se compraron como obra de pintores franceses ni tampoco llevaban los nombres de sus autores reales; se introdujeron como piezas italianas o flamencas y, efectivamente, gracias a la moderna investigación, algunos lienzos de las colecciones reales, que hasta hace poco se consideraban anónimos, se han identificado como franceses. Singular ejemplo es *El martirio de San Lorenzo* de Valentin, que, con otras obras del mismo artista, se catalogó en la colección real del Alcázar de Madrid con atribución a otros pintores. Parecido es el caso del cuadro titulado *El vendedor de aves*, del anónimo francés hoy conocido como el Pensionante de Saraceni, obra que durante largo tiempo se creyó italiana.

La terminación del palacio del Buen Retiro de Madrid en 1634 exigió una serie de grandiosos proyectos decorativos a fin de reflejar el poder de la monarquía. Por consiguiente, se encargaron numerosos cuadros extranjeros de carácter religioso. El conjunto, llamado "de los anacoretas", se organizó desde Roma, probablemente a través del marqués de Castel Rodrigo, embajador español en la corte pontificia; y junto con muchos artistas flamencos y holandeses hubo pintores franceses –tales como Claudio de Lorena, Nicolas Poussin, Jean Le Maire y Gaspard Dughet– que también colaboraron en esta célebre serie de obras. Claudio de Lorena posteriormente realizó cuatro lienzos más, también destinados al palacio del Buen Retiro. Estas diversas comisiones constituyen el núcleo de la colección francesa actualmente en el Prado, aunque durante el reinado de los Borbones se añadieron algunas obras más de los mismos autores.

La colección francesa incluye algunos retratos que llegaron a Madrid procedentes de otras cortes europeas cuyos monarcas tenían a su servicio pintores franceses. Así ocurrió con el espléndido retrato ecuestre de la reina Cristina, pintado por Bourdon, que se envió a Felipe IV desde Suecia. De modo parecido, el duque de Saboya, Carlos Manuel II, remitió a Carlos II un gran retrato familiar con su heredero recién nacido, realizado por Dauphin, para mostrar a su hijo. Carlos II también recibió un notable lienzo titulado *San Juan Bautista*, del artista Pierre Mignard, enviado por su suegro, el duque de Orléans. Otro ejemplo del intercambio entre las cortes europeas fue la remisión en 1655 por Ana de Austria (por aquel entonces regente de Francia) de una serie de retratos de la familia real francesa –pintada por Philippe de Champaigne, Charles y Henri Beaubrun y Jean Nocret– como parte de las negociaciones que culminarían en la boda entre su hijo, Luis XIV, y la infanta María Teresa, hija de Felipe IV.

El hecho de que muriese el último monarca de la casa de Austria sin haber tenido descendencia precipitó una auténtica crisis europea entre 1700 y 1713, concluida por el Tratado de Utrecht. De acuerdo con los lazos dinásticos establecidos durante el siglo XVII, se reconocieron las pretensiones al trono español de Luis XIV de Francia, y a la muerte de Carlos II fue el duque de Anjou, nieto de Luis XIV, quien subió al trono con el nombre de Felipe V. Así se inició el largo período de la dinastía de Borbón en España, la cual, a pesar de ciertas interrupciones, dura hasta la actualidad. El establecimiento de la nueva monarquía no alteró inmediatamente la orientación estética hacia el arte flamenco e italiano y, como consecuencia sobre todo de los gustos artísticos de la segunda mujer de Felipe V, Isabel de Farnesio, la colección real continuó adquiriendo obras italianas. No obstante, esto no impidió el que hubiese interés en la pintura francesa, especialmente en lo que se refería a retratos, y así varios artistas franceses pusieron sus pinceles al servicio de la corte española. Entre éstos figuran Michel-Ange Houasse –retratista mediocre pero maravilloso intérprete de paisajes y escenas de género– y Jean Ranc y Louis-Michel van Loo, retratistas distinguidos los dos, cuyos lienzos reflejan el carácter de los soberanos y sus hijos hasta la época de Fernando VI.

Hubo tres factores fundamentales que contribuyeron al interés de Felipe V en la pintura: las obras que heredó de su padre, el gran Delfín, que ampliaron la colección real de forma significativa; la construcción del nuevo palacio de La Granja en Segovia, que aseguró el encargo de muchas obras nuevas, y la destrucción del Alcázar de Madrid, que a pesar de sus consecuencias tan catastróficas y la pérdida de numerosísimos cuadros, motivó una dedicación a la readquisición de obras equiparables, la cual sería una preocupación constante para todos los monarcas del siglo XVIII.

Felipe V logró adquirir varias obras importantes de Poussin en Rotterdam y, con las piezas compradas en Roma a los herederos del pintor Maratta, entraron otros notables ejemplos de la pintura clásica francesa. A la vez, la llegada de los espléndidos retratos de los miembros de la Casa de Borbón desde París expuso a la corte española el talento de los mejores retratistas de la época: Rigaud, con el célebre *Luis XIV armado*, y Largillièrre, con su efigie de *María Ana Victoria*. A tan importante conjunto se sumaron dos preciosos cuadritos de Watteau, escogidos por Isabel de Farnesio. Otra obra adquirida en aquella época fue *El descanso en la huida a Egipto*, de Stella, cuyo carácter y esencia clasicistas son tan evocadores del siglo anterior.

Durante el reinado de Felipe V, Madrid se transformó en un semillero de pintores nuevos que contribuyeron a la renovación de las tradiciones artísticas de la corte. De este período se conservan numerosos paisajes de los Reales Sitios y escenas de género de Michel-Ange Houasse, así como algunas de sus pinturas religiosas, retratos y composiciones mitológicas. Jean Ranc y después Louis-Michel van Loo sucedieron a Houasse como retratistas oficiales de la corte. Entre ambos realizaron tal número de retratos de la familia real borbónica que la corte madrileña, que durante muchos años se había limitado a recibir efigies francesas, se convirtió en emisora. Ranc, detallista y algo seco, retrató a los miembros de monarquía española empleando un estilo dignificado, anclado en los principios estéticos de los últimos años del reinado de Luis XIV, derivado sobre todo de la obra de su maestro, Rigaud. En cambio, Louis-Michel van Loo, quien fue llamado a Madrid para ocupar el puesto de Ranc, a la muerte de éste, aportó un estilo amplio y decorativo a los retratos reales y desarrolló formas en que los modelos se representaban de manera más espectacular y al mismo tiempo más directa, aunque con todo, resulta algo arcaico para los tiempos que corrían. La obra cumbre de Van Loo es el enorme lienzo *La familia de Felipe V*, en donde presenta al monarca rodeado de su esposa e hijos como si fuesen una institución pública. Después de la muerte de Felipe V, en 1746, Van Loo permaneció en España seis años más, bajo su sucesor Fernando VI, trabajando en el proyecto de la Real Academia de Bellas Artes, inaugurada finalmente en 1752.

La presencia de artistas franceses en Madrid fue muy escasa durante el reinado de Fernando VI, con la notable y singular excepción de Charles-Joseph Flipart, quien vivió en España cerca de un quarenta años y produjo numerosísimos cuadros, dibujos y decoraciones. Sin embargo, durante la época de Carlos III, llegaron retratos de otras cortes europeas, y el príncipe de Asturias, futuro Carlos IV, notable coleccionista, encargó muchas obras extranjeras y también adquirió cuadros a los artistas franceses ambulantes por España. Por desgracia, esta colección tan cuidadosamente seleccionada no se mantendría intacta por mucho tiempo: la invasión napoleónica y la subsiguiente Guerra de la Independencia, con sus inevitables saqueos, provocó su dispersión, con lo que muy pocas obras de tan extenso conjunto pasaron a formar parte de los fondos del Museo. No obstante, el grupo más numeroso, los cinco paisajes de Vernet, testimonian el buen gusto y la sensibilidad estética de Carlos IV.

La fundación del Prado, en 1819, abrió un compás de espera en las adquisiciones, pero aunque el Museo Real recibió los envíos de los palacios, que llegarían a formar el núcleo de su soberbia colección, el Prado carece casi por completo de las magníficas obras realizadas en Francia a lo largo del siglo XIX.

Las experiencias del siglo XX han sido más esperanzadoras. En 1930 entraron dos soberbios retratos de Oudry, en 1944 *Una galería del Coliseo de Roma* de Hubert Robert y, hasta ahora, en el curso de la segunda mitad del siglo, se han añadido otras obras importantes tales como *El tiempo vencido por la juventud y la belleza* de Vouet, en 1955 y una *Vanitas* de Linard, en 1962.

Desde 1970, el Prado ha adquirido piezas de otros períodos, como una obra maestra anónima del siglo XVI, que revela la influencia de la escuela de Fontainebleau, las dos composiciones mitológicas de Jean-Baptiste Pierre, cuadros de Boucher, Lagrenée, Julien de Parme, y una obra de Beaufort: el exquisito boceto titulado *La muerte de Calanus*. Dos excelentes cuadros más se han incorporado a la sección del siglo XVII: *La serpiente de metal* de Bourdon y *Músico ciego tocando la zanfonía* de Georges de La Tour.

Entrando ya en una valoración general de la colección francesa, cabe indicar que los lienzos del siglo XVII constituyen la sección más significativa, especialmente con relación a la pintura francesa en Italia; mientras que las piezas del siglo XVIII representan el núcleo esencial de lo que los artistas franceses consiguieron en la España de aquel período. Como punto final, debe subrayarse que la colección de retratos franceses es única no sólo por su notable calidad artística, sino por reflejar también las circunstancias históricas que inspiraron su creación.

1

2

3

4

1
**Valentin de Boulogne**
Coulommiers-en-Brie, 1591–Roma, 1632
*El martirio de San Lorenzo,* aprox. 1621–2
Lienzo, 195 × 261 cm
Colección de Felipe IV
Nº de Catálogo 2346

2
**Maestro anónimo,** conocido como **el Pensionante de Saraceni**
Trabaja en Roma entre 1610 y 1620
*El vendedor de aves*
Lienzo, 95 × 71 cm
Formaba parte de la coleción real a finales del siglo XVIII
Nº de Catálogo 2235

3
**Simon Vouet**
París, 1590–1649
*El tiempo vencido por la esperanza, el amor y la belleza,* 1627
Lienzo, 107 × 142 cm
Adquirido en Londres en 1954
Nº de Catálogo 2987

4
**Nicolas Tournier**
Montbeliard, 1590–Toulouse, 1638–9
*La negación de San Pedro,* aprox. 1625
Lienzo, 171 × 252 cm
Legado al Prado por Don Pedro Fernández Durán en 1930
Nº de Catálogo 2788

1

2

1
**Nicolas Poussin**
Les Andelys, 1594–Roma, 1665
*El triunfo de David*, aprox. 1630
Lienzo, 100 × 130 cm
Adquirido por Felipe V en 1724
de la colección de Carlo Maratta
Nº de Catálogo 2311

Nicolas Poussin fue sin duda el artista francés más importante del siglo XVII, y el exponente más notable del clasicismo barroco. A pesar de que trabajó casi toda la vida en Roma, tuvo una gran influencia no solamente en la pintura italiana, sino también en la francesa. Su arte refleja un profundo conocimiento tanto del pasado clásico como del alto Renacimiento, de la escultura clásica y de Rafael y Tiziano. Con estas fuentes logró una fusión de maestría y equilibrio singular, obteniendo soluciones originales a problemas tradicionales. Esta narración de una historia bíblica, concebida con lenguaje clásico, con la Victoria coronando al héroe, es un ejemplo.

2
**Simon Vouet**
París, 1590–1649
*La Virgen y el Niño, con Santa Isabel, San Juan y Santa Catalina*, aprox. 1624–6
Lienzo, 182 × 130 cm
Origen desconocido
Nº de Catálogo 539

3
**Nicolas Poussin**
Les Andelys, 1594–Roma, 1665
*El Parnaso*
Lienzo, 145 × 197 cm
Colección de Felipe V
Adquirido en Rotterdam en 1714
Nº de Catálogo 2313

4
**Jacques Courtois,**
llamado **Il Borgognone**
St.-Hippolyte, 1621–Roma, 1676
*Batalla entre cristianos y musulmanes*
Lienzo, 96 × 152 cm
Origen desconocido
Nº de Catálogo 2242

3

4

1

1
**Claude Gellée**, llamado en España **Claudio de Lorena**
Chamagne, aprox. 1600–Roma, 1682
*Paisaje con Moisés salvado de las aguas*, aprox. 1637–9
Lienzo, 209 × 138 cm
Colección de Felipe IV
Nº de Catálogo 2253

2
**Claude Gellée**, llamado en España **Claudio de Lorena**
Chamagne, aprox. 1600–Roma, 1682
*El embarco en Ostia de Santa Paula Romana*, aprox. 1637–9
Lienzo, 211 × 145 cm
Colección de Felipe IV
Nº de Catálogo 2254

Claudio de Lorena, a veces conocido simplemente como Claude, perfeccionó la creación de los paisajes ideales, situados en una clásica y dorada antigüedad plena de armonía, ya fuera arquitectura, tiempo, paisaje, o sociedad. Esta obra, tan característica de su estilo, fue encargada por Felipe IV para la decoración de una de las galerías del Buen Retiro. El artista, por medio de una escenografía teatral, transforma la acción de embarcar en un acto de dignidad romana, heroica aventura y glorioso ejemplo para la posteridad.

1

2

1
**Sebastien Bourdon**
Montpellier, 1616–París, 1671
*Cristina de Suecia, a caballo*, 1653
Lienzo, 383 × 291 cm
Regalado a Felipe IV por la reina Cristina de Suecia
Nº de Catálogo 1503

2
**Jean Le Maire**
Dammartin, 1598–Gaillon, 1659
*Un ermitaño entre ruinas clásicas*, aprox. 1635–6
Lienzo, 162 × 240 cm
Colección de Felipe IV
Nº de Catálogo 2316

3
**Hyacinthe Rigaud**
Perpiñán, 1659–París, 1743
*Luis XIV, armado*, 1701
Lienzo, 238 × 149 cm
Colección de Felipe V
Nº de Catálogo 2343

4
**Jacques Linard**
París, aprox. 1600–45
*Vanitas*, aprox. 1644
Lienzo, 31 × 39 cm
Adquirido en 1962
Nº de Catálogo 3049

5
**Sébastien Bourdon**
Montpellier, 1616–París, 1671
*La serpiente de metal*, aprox. 1653–4
Lienzo, 89 × 105 cm
Legado por Katy Brunov en 1979
Nº de Catálogo 4717

6
**Philippe de Champaigne**
Bruselas, 1602–París, 1674
*Luis XIII*, 1655
Lienzo, 108 × 86 cm
Enviado a Felipe IV por su hermana Ana de Austria, reina de Francia
Nº de Catálogo 2240

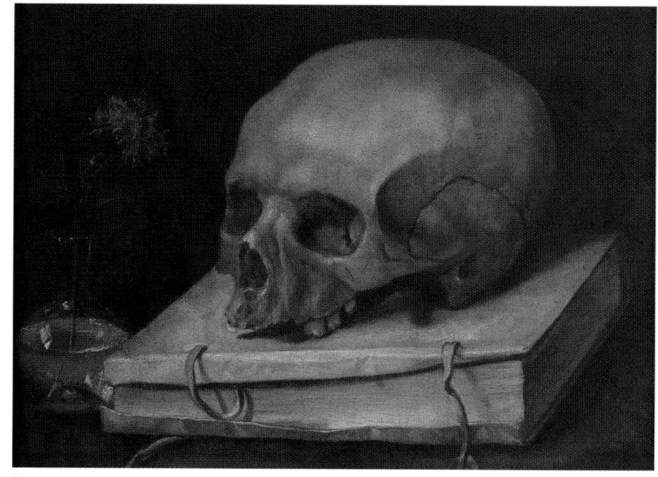

4

5

1

2

3

4

1
**Georges de la Tour**
Vic-sur-Seille, 1593–
Lunéville, 1652
*Músico ciego tocando la zanfoñía,*
1625–30
Lienzo, 84 × 61 cm
Adquirido en 1991
Nº de Catálogo 7613

2
**Pierre Mignard**
Troyes, 1612–París, 1695
*San Juan Bautista*, aprox. 1687–8
Lienzo, 147 × 109 cm
Regalo del duque de Orléans
en 1688 a su yerno Carlos II
de España
Nº de Catálogo 2289

3
**Jacques Stella**
Lyon, 1596–París, 1657
*Descanso en la huida a Egipto,*
1652
Lienzo, 74 × 99 cm
Colección de Felipe V
Nº de Catálogo 3202

4
**Charles de la Fosse**
París, 1636–1716
*Acis y Galatea*, aprox. 1704
Cobre, 104 × 90 cm
Colecciones Reales
Siglo XVIII
Nº de Catálogo 2251

1

2

1
**Nicolas de Largillièrre**
París, 1656–1746
*La infanta María Ana Victoria de Borbón*, 1724
Lienzo, 184 × 125 cm
Colección de Felipe V
Nº de Catálogo 2277

Largillièrre fue uno de los principales retratistas de la Europa de finales del siglo XVII y principios del XVIII. Sus obras combinan lo mejor de las escuelas francesa, flamenca e inglesa y, aparte de retratos, también se especializó en paisajes y bodegones. Aquí, con gran destreza, confiere dignidad real a la pequeña María Ana –hija de Felipe V y prometida de Luis XV de Francia– quien más tarde se convertiría en reina de Portugal, al ser rechazada por la política francesa.

2
**Jean-Baptiste Oudry**
París, 1686–Beauvais, 1755
*Lady Mary Josephine Drummond, condesa de Castelblanco*, aprox. 1716
Lienzo, 137 × 105 cm
Legado por Don Pedro Fernández Durán en 1930
Nº de Catálogo 2793

3
**Pierre Gobert**
Fontainebleau, 1622–París, 1744
*La duquesa de Borgoña con sus hijos*, aprox. 1712
Lienzo, 216 × 168 cm
Colección de Felipe V
Nº de Catálogo 2274

3

1

2

1
**Jean-Antoine Watteau**
Valenciennes, 1684–Nogent-sur-Marne, 1721
*Fiesta en un parque*, aprox. 1712–13
Lienzo, 48 × 55 cm
Formaba parte de la colección de Isabel de Farnesio en 1746
Nº de Catálogo 2354

2
**Jean-Antoine Watteau**
Valenciennes, 1684–Nogent-sur-Marne, 1721
*Capitulaciones de boda*, aprox. 1712–13
Lienzo, 47 × 55 cm
Formaba parte de la colección de Isabel de Farnesio en 1746
Nº de Catálogo 2353

Antoine Watteau fue el inventor de un nuevo espíritu o corriente que prefiguraba el rococó. Presentaba delicadas y brumosas escenas situadas en un mundo vivaz y sensual, imbuido de una calidad fresca y distante plena de lirismo.

3
**Michel-Ange Houasse**
París, 1680–Arpajon, 1730
*Vista del monasterio de El Escorial*, aprox. 1720–30
Lienzo, 50 × 82 cm
Colección de Felipe V
Nº de Catálogo 2269

4
**Jean Ranc**
Montpellier, 1674–Madrid, 1735
*Carlos III, niño*, aprox. 1723–4
Lienzo, 142 × 115 cm
Colección de Felipe V
Nº de Catálogo 2334

3

4

1

2

4

3

1
**Charles-Joseph Flipart**
París, 1721–Madrid, 1797
*La rendición de Sevilla a San Fernando, rey de España,* aprox. 1756–7
Lienzo, 72 × 56 cm
Colección de Fernando VI
Nº de Catálogo 13

2
**Michel-Ange Houasse**
París, 1680–Arpajon, 1730
*Bacanal,* 1719
Lienzo, 125 × 180 cm
Colección de Felipe V
Entró en el Prado en 1820
Nº de Catálogo 2267

3
**Jean Ranc**
Montpellier, 1674–Madrid, 1735
*Felipe V con su familia,* aprox. 1723
Lienzo 44 × 65 cm
Colección de Felipe V
Nº de Catálogo 2376

4
**Louis-Michel van Loo**
Toulon, 1707–París, 1771
*La familia de Felipe V,* 1743
Lienzo, 406 × 511 cm
Colección de Felipe V
Nº de Catálogo 2283

Felipe V, primer monarca español de la Casa de Borbón, intentó encargar retratos a los artistas franceses que estuviesen más de moda. Louis-Michel van Loo, que era de una familia de pintores, no tardó en convertirse en su favorito. Ésta es una obra característica de Van Loo, en la que los modelos se representan ataviados de manera sumamente lujosa y complementados por una arquitectura colosal.

1

2

1
**Jean Pillement**
Lyon, 1728–1808
*Paisaje*, 1773
Lienzo, 56 × 76 cm
Colección de Carlos IV
Nº de Catálogo 2302

2
**Hubert Robert**
París, 1733–1808
*Una galería del Coliseo de Roma*
Lienzo, 240 × 225 cm
Legado por el conde de la Cimera en 1944
Nº de Catálogo 2883

3

4

3
**Claude-Joseph Vernet**
Aviñón, 1714–París, 1789
*Marina. La gondola italiana*
Lienzo, 59 × 109 cm
Colección de Carlos IV
Nº de Catálogo 2350

4
**Antoine-François Callet** y taller
París, 1741–1823
*Luis XVI*, aprox. 1783
Lienzo, 273 × 193 cm
Regalado al conde de Aranda por Luis XVI
Posteriormente adquirido al duque de Hijar por Isabel II, quien lo donó al Prado
Nº de Catálogo 2238

1

1
**Louis-Jean-François Lagrenée**
París, 1724–1805
*El sentido del tacto*, 1775
Lienzo 135 × 86 cm
Adquirido en 1982
Nº de Catálogo 6771

2
**François Boucher**
París, 1703–70
*Pan y Syringa*, aprox. 1759–60
Lienzo, 79 × 95 cm
Adquirido en 1985
Nº de Catálogo 7066

3
**Jean-Baptiste-Marie Pierre**
París, 1714–89
*Júpiter y Antíope*, aprox. 1746–9
Lienzo, 178 × 114 cm
Adquirido en 1970
Nº de Catálogo 3218

4
**Hubert Drouais**
La Roque, 1699–París, 1767
*El delfín Luis de Borbón*,
aprox. 1744
Lienzo, 68 × 57 cm
Colección de Felipe V
Nº de Catálogo 2377

5
**Jacques-Antoine Beaufort**
París, 1721–Rueil, 1784
*La muerte de Calamus*, 1779
Tabla, 21 × 19 cm
Adquirida en 1979
Nº de Catálogo 6073

2

3

4

5

# LA PINTURA HOLANDESA

A lo largo de la Baja Edad Media y durante gran parte del siglo XVI, los Países Bajos formaron un solo país con características propias. Durante el gobierno de Carlos V, aunque mantuvieron su propia economía, quedaron integrados en el mosaico de estados dominados por la Casa de Austria y coordinados desde la Península Ibérica. No obstante, incluso en aquellos tiempos, las diferencias entre las formas de expresión artísticas del sur y el norte eran ya muy evidentes.

Durante el último tercio del siglo XVI, los Países Bajos experimentaron hondas transformaciones políticas y sufrieron inestabilidad como resultado de la difusión de las doctrinas religiosas surgidas de la Reforma, las cuales tuvieron un influjo tremendo en las provincias del norte y, aunque un poco menos, también en las del sur. La consiguiente sublevación de los territorios norteños dió lugar a la creación de un nuevo país –Holanda– que a partir de su reconocimiento en la Paz de Westfalia de 1648, evolucionó independiente de la tutela española. Sin embargo, las características definitivas de su sociedad se habían formado mucho antes de esta crítica fecha, y con ellas una estética muy propensa a una manera de expresión austera y concreta, poco inclinada a la fantasía y muy indicada para el patrocinio de los burgueses, artesanos y comerciantes. Además, los artistas, en vez de ejecutar obras para la Iglesia o la aristocracia, como seguían haciendo sus contemporáneos del sur, trabajaban para los burgueses en formato pequeño, teniendo en cuenta las reducidas dimensiones de las viviendas de sus clientes, y con unos temas muy lejos de las heroicas mitologías tan favorecidas por los aristócratas; así, el arte se adaptó a un sobrio y competitivo ambiente capitalista.

La presencia de pintores holandeses en la Roma caravaggiesca de principios del siglo XVII, y su posterior regreso a la patria para definir de nuevo el realismo del arte holandés, dio lugar a la pintura intimista de género, la cual refleja los interiores domésticos y las escenas callejeras y de taberna, detalladas y plenas de naturalismo. Durante esta época, los artistas holandeses desarrollaron varias formas pictóricas: el paisajismo, los bodegones y los temas de animales, además de los retratos –tanto individuales como colectivos– que son notables por su gran penetración psicológica. La segunda mitad del siglo es más diversificada y rica en matices, con una evolución hacia conceptos más decorativos imbuidos del espíritu barroco.

Como es lógico, la hostilidad entre Holanda y España, que duró hasta mediados del siglo XVII, dificultó la entrada de cuadros holandeses en las colecciones españolas. La tirantez siguió a lo largo de la segunda mitad del siglo, a pesar de alianzas diplomáticas frente a Francia, y la diferenciación de gustos y culturas provocó la continua ausencia de arte holandés en España. Por lo tanto, casi todas las piezas que hoy posee el Prado son resultado de adquisiciones posteriores y en vano se buscarán las obras de Frans Hals y Vermeer, las fastuosas naturalezas muertas de Kalf o los paisajes de Hobbema y otros maestros.

Durante el siglo XVII, las colecciones reales registraron algunas entradas de obras holandesas, como las cuatro tablas con retratos femeninos de Adriaen Cronenburch, que muestran gran dignidad y presencia. Los espléndidos paisajes de Both y Swanevelt datan del reinado de Felipe IV, adquiridos en Roma para la decoración de Buen Retiro, así como los dos cuadros religiosos de Steenwijck el Joven, y *La incredulidad de Santo Tomás* de Stomer. Felipe V e Isabel de Farnesio optaron por la moda de los cuadros pequeños holandeses, ya muy populares en el siglo XVIII, adquiriendo muchas obras, entre las que figuran algunas de Droochslott, Schoeff, y Poelenburgh, junto con un gran número de escenas de Wouwermans. No obstante, fue a Carlos III a quien le cupo la gloria de conseguir el magnífico Rembrandt, *Sophonisba*, adquirido en 1769 en la venta de los bienes del marqués de la Ensenada. Asimismo, Carlos IV adquirió múltiples e interesantes obras holandesas, entre ellas piezas de Breenberg, Schalken, Bramer, J. G. Cuyp y Wtewael, *El gallo muerto* de Metsu, escenas de taberna por Van Ostade, y la singular *Vanitas* de Steenwijck. Durante la invasión napoleónica las obras de esta escuela –reunidas con tanto interés por dicho monarca– fueron dispersadas, de modo que las que hoy día se hallan en el Prado son los restos del conjunto original.

Desde la apertura del Prado en 1819, no se han llenado las lagunas, aunque se han recibido ciertas donaciones y adquisiciones como: *Vacas y cabra* de Potter, que llegó en 1894 con el legado del marqués de Cabriñana; los tres bodegones de Heda y el de Claesz, que entraron El Museo en 1930 con el legado Fernández Durán; y el retrato de un general, realizado por Backer y donado por el conde de Pradere en 1934; mientras que en 1935 entró un nuevo cuadro de Schalken, regalado por el duque de Arcos. En los años posteriores a la Guerra Civil y hasta fecha reciente, se han conseguido varias obras en el mercado de arte: dos retratos de Mierevelt y, en 1953, un paisaje atribuido, con ciertas dudas, a Van Goyen, *La adoración de los pastores* de Benjamin Gerritsz Cuyp en 1954, y el excelente retrato de Petronella de Waert por Ter Borch, a los que se añadió un bodegón de Ryckhals, más tarde una pareja de lienzos con retratos de un matrimonio de Caspar Netscher, una efigie de dama de Pickenoy y una pintura de animales de Melchior Hondecoeter.

**Rembrandt Harmensz. van Rijn**
Leyden, 1606–Amsterdam, 1669
*Sophonisba*, 1634
Lienzo, 142 × 153 cm
Adquirido en 1769 para
Carlos III por Mengs, procedente
de la colección del marqués de
la Ensenada
Nº de Catálogo 2132

Éste es el único lienzo seguro que posee el Prado de mano de Rembrandt. Lo realizó a los 28 años, en el año de su matrimonio con Saskia, hija de un anticuario de Amsterdam y parece probable que ella fuese la modelo. El cuadro despliega una iluminación derivada de Caravaggio, técnica que Rembrandt tal vez hubiese asimilado durante su aprendizaje con Pieter Lastman, quien había acogido la manera nueva con entusiasmo. Rembrandt ya sabía utilizarla para intensificar la esencia de la textura, para enfatizar el hondo modelado de la cara, la cabeza de la criada, y la figura espectral que observa desde el fondo, pero sobre todo para concentrarse en los suntuosos tejidos y la copa ornamentada.

1

2

3

4

1
**Pieter van Steenwyck**
Trabaja en Delft a mediados del siglo XVII
*Vanitas*
Tabla, 34 × 46 cm
Colección de Carlos IV
Nº de Catálogo 2137

2
**Philips Wouwermans**
Haarlem, 1619–68
*Salida de una posada*
Tabla, 37 × 47 cm
Formaba parte de la colección de Isabel de Farnesio en 1746
Nº de Catálogo 2151

3
**Jan Davisz de Heem**
Utrecht, 1606–Amberes, 1684
*Bodegón*
Tabla, 49 × 64 cm
Origen desconocido
Nº de Catálogo 2090

4
**Solomon Koninck**
Amsterdam, 1609–56
*Un filósofo*, 1635
Tabla, 71 × 54 cm
Adquirido en 1953
Nº de Catálogo 2974

5

6

7

5
**Gaspar Netscher**
Heidelberg, aprox. 1639–
La Haya, 1684
*Lambert Witsen*, 1679
Lienzo 49 × 40 cm
Adquirido en 1991
Nº de Catálogo 7607

6
**Gaspar Netscher**
Heidelberg, aprox. 1639–
La Haya, 1684
*La Sra. Nuyts, esposa de Lambert Witsen*, 1679
Lienzo 49 × 40 cm
Adquirido en 1991
Nº de Catálogo 7608

7
**Mathias Stomer**
Amersfoort, aprox. 1660–
Messina, después de 1650
*Incredulidad de Santo Tomás*
Lienzo 125 × 99 cm
Colecciones Reales
Siglo XVII
Nº de Catálogo 2094

1

3

2

4

1
**Jan Both**
Utrecht, aprox. 1615–52
*Bautizo del eunuco de la reina Candace*, aprox. 1640–1
Lienzo 212 × 155 cm
Colección de Felipe IV
Nº de Catálogo 2060

2
**Leonaert Bramer**
Delft, 1596–1674
*Abraham y los tres ángeles*, 1630
Lienzo 47 × 74 cm
Colección de Carlos IV
Nº de Catálogo 2069

3
**Pieter Claesz "Claeszon"**
Steinfurt, aprox. 1596–Haarlem, 1661
*Bodegón*, 1637
Lienzo 83 × 66 cm
Legado por Fernández-Durán en 1930
Nº de Catálogo 2753

4
**Gerard Ter Borch**
Zwolle, 1617–Deventer, 1681
*Petronella de Waert*, 1679
Tabla, 40 × 32 cm
Adquirida en 1982
Nº de Catálogo 6892

# LA PINTURA ALEMANA

Al considerar la colección alemana, cabe señalar que la discontinuidad y las lagunas se deben no sólo a las idiosincrasias de los coleccionistas reales, sino también a las dificultades casi insolubles que encara cualquier museo que intente clasificar y coordinar por entero la evolución estética de Alemania. Las frecuentes guerras, las divisiones políticas tradicionales y los conflictos religiosos, junto con todo tipo de situaciones complicadas que han ido entretejiendo la atormentada historia de Alemania han contribuido a la formación de un complejo mosaico de multiformes estilos artísticos cuya representación coherente resulta muy difícil al disponer de pocos ejemplares.

A lo largo del siglo XV en Alemania se fue desarrollando un movimiento pictórico influido por los primitivos flamencos, el cual era en realidad una continuación del admirable estilo internacional del siglo anterior que había florecido desde La Haya hasta Bohemia y Austria. Muchas de las obras de este período muestran unas peculiaridades marcadamente expresionistas, así como una tendencia a los efectos excesivos y un carácter de concentrada violencia, lo cual confiere a sus asuntos una calidad tensa y dramática que reaparece a menudo en posteriores obras alemanas. Sin embargo, aun cuando se descubra cierto tono expresivo a lo largo de las diversas fases de la historia del arte alemán –a fines del período gótico, durante el barroco y en la culminación del rococó– el concepto de un *geist* ("espíritu") común no funciona necesariamente a nivel local. Las tradiciones locales, la fragmentación de los estados que componían el imperio germánico y los diferentes grados de asimilación de las influencias extranjeras, contribuyeron a la extrema complejidad del ambiente alemán, la cual se acentuaría aún más a causa de cuestiones históricas: la Reforma, la Contrarreforma, las crisis dinásticas, los intereses personales de los príncipes, la Guerra de los Treinta Años, las interferencias de Francia, la potencia de Austria, la expansión de Prusia y la Ilustración del siglo XVIII.

A pesar de las estrechas relaciones dinásticas entre España y el Imperio durante los siglos XVI y XVII, no se mantuvieron las correspondientes relaciones artísticas, y por lo tanto las escuelas germánicas tienen una escasa representación en el Prado. Tanto el emperador Carlos V como su hijo Felipe II se inclinaron más por las novedades pictóricas italianas y las tradiciones flamencas, y parece probable que el arte alemán lo rechazaran de forma consciente, a causa de su carácter expresionista y pesimista, tan contrario al espíritu del mundo mediterráneo. También es posible que hubiesen visto el espíritu anticlásico del arte alemán como reflejo de la desintegración interna de Alemania, provocada por los conflictos religiosos derivados de la emergencia del protestantismo. Esto explicaría la escasez de obras de este origen en la colección real de aquel entonces, y habrá que esperar hasta el siglo XVII para ver un incremento –por modesto que sea– de la representación alemana dentro del coleccionismo regio.

Sin embargo, con la herencia de la reina María de Hungría, hermana de Carlos V entraron dos tablas de Lucas Cranach el Viejo en colaboración con su hijo que representan unas cacerías en el castillo de Torgau en honor de Carlos V. De Felipe II fueron las dos tablas de Baldung Grien, la elegante *Tres gracias* y la siniestra *Tres edades del hombre*. Hay también cuatro obras formidables de Durero. Las dos tablas *Adán y Eva* fueron regalo de la reina Cristina de Suecia a Felipe IV, quien también adquirió el incomparable *Autorretrato* de Durero en la venta de los bienes de Carlos I de Inglaterra; dicha obra denota la magistral precisión técnica de sus retratos. Propiedad del mismo monarca fue, además, el fascinante *Retrato de un caballero*.

A excepción de una interesante obra de Elsheimer, del siglo XVII, y varios temas pastorales de "Rosa de Tívoli" (Philip Peter Roos), los soberanos no volvieron a adquirir cuadros nuevos hasta el principio del siglo XVIII, cuando Isabel de Farnesio compró dos retratos del siglo XVI, atribuidos a Amberger. Dos paisajes de Vollardt, donados por Don Pedro Fernández Durán en 1930, son buenos ejemplos del rococó alemán. El neoclasicismo triunfa en el Museo merced a la obra de Anton Rafael Mengs, quien fue llamado por Carlos III para decorar el Palacio Real de Madrid, y llegó a ser una poderosas figura en la corte. Pintor de meticulosas escenas religiosas y de exquisitos retratos aporcelanados, sus obras suelen reflejar el refinado ambiente cortesano que cultivaba el primer neoclasicismo.

Una obra de Angelica Kauffman entró en el Prado con el legado Errazu en 1925. En ella se combinan conceptos neoclásicos con la influencia del retrato británico para producir un elegante estilo femenino propio del tardío siglo XVIII.

Por último hay que mencionar una importante entrada en la colección: *Virgen con el Niño y San Juanito* de Lucas Cranach el Viejo, tabla llegada en 1988 procedente de una colección particular española.

**Alberto Durero**
Nüremburg, 1471–1528
*Autorretrato*, 1498
Tabla, 52 × 41 cm
Colección de Felipe IV
Adquirido en Londres en 1649
de la colección de Carlos I de
Inglaterra
Nº de Catálogo 2179

**Alberto Durero**
Nüremburg, 1471–1528
*Retrato de un caballero,* 1524
Tabla, 50 × 36 cm
Originalmente de la colección del Alcázar de Madrid, en el siglo XVII
Nº de Catálogo 2180

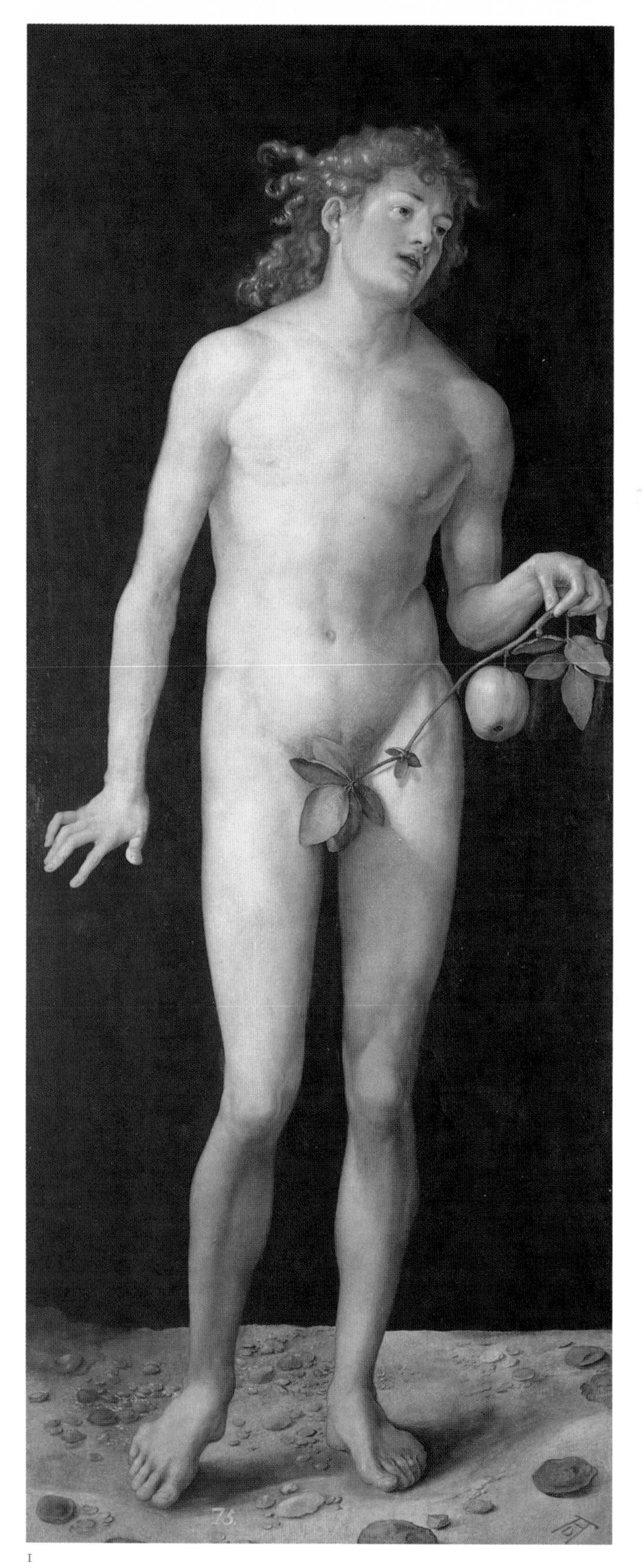

1

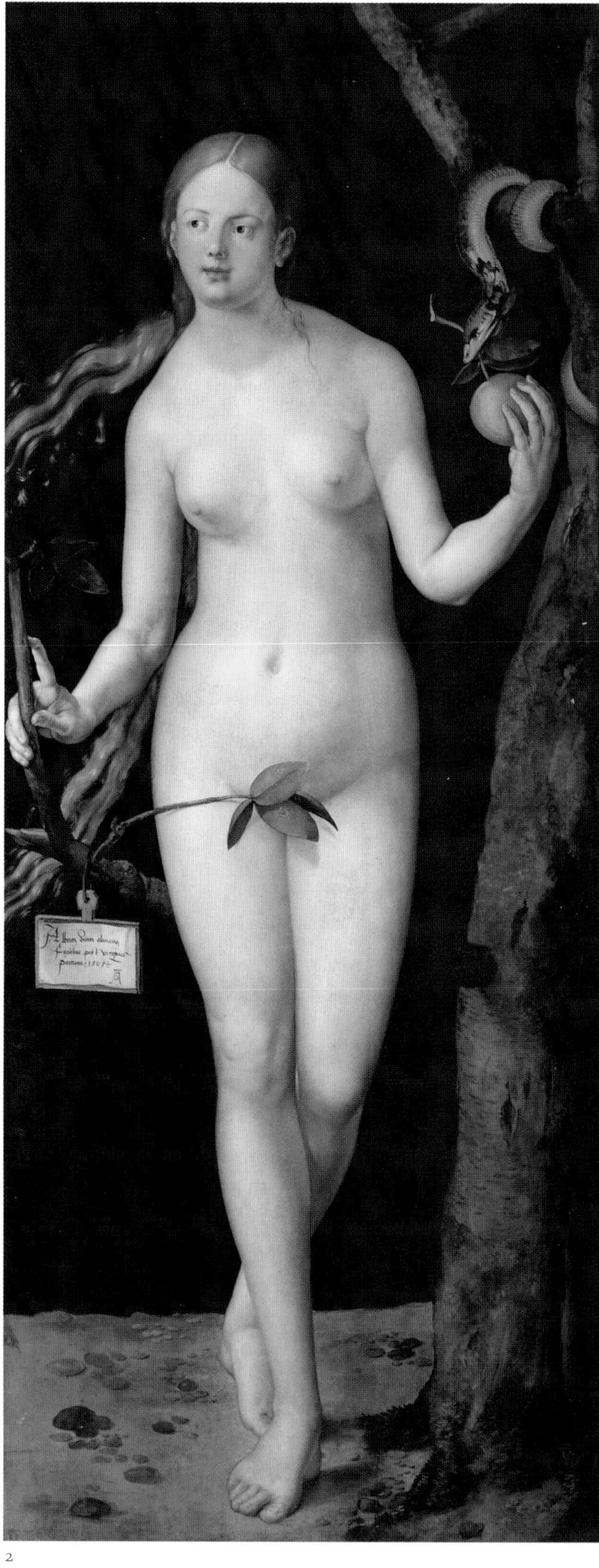

2

3

4

1
**Alberto Durero**
Nüremburg, 1471–1528
*Adán*, 1507
Tabla, 209 × 81 cm
Regalada a Felipe IV por la reina Cristina de Suecia
Nº de Catálogo 2177

2
**Alberto Durero**
Nüremburg, 1471–1528
*Eva*, 1507
Tabla, 209 × 81 cm
Regalada a Felipe IV por la reina Cristina de Suecia
Nº de Catálogo 2178

3
**Hans Baldung Grien**
Gmünd, aprox. 1484/5–Estrasburgo, 1545
*Las tres edades del hombre*, 1539
Tabla, 151 × 61 cm
Regalada a Jean de Ligne por el conde de Solms en 1547
Más tarde en la colección de Felipe II
Nº de Catálogo 2220

4
**Hans Baldung Grien**
Gmünd, aprox. 1484/5–Estrasburgo, 1545
*Las tres gracias*, 1539
Tabla, 151 × 61 cm
Regalada a Jean de Ligne por el conde de Solms en 1547
Más tarde en la colección de Felipe II
Nº de Catálogo 2219

1

2

1
**Lucas Cranach el Viejo**, con la colaboración de su hijo **Lucas Cranach el Joven**
Kronach, 1472–Weimar, 1553
*Cacería en el castillo de Torgau en honor de Carlos V*, 1544
Tabla, 114 × 175 cm
Heredada por Felipe II de la colección de María, reina de Hungría
Nº de Catálogo 2175

2
**Lucas Cranach el Viejo**,
Kronach, 1472–Weimar, 1553
*Virgen con el Niño y San Juanito*, 1536
Tabla, 121 × 83 cm
Procede de la colección de la duquesa de Valencia
Entró en el Prado en 1988
Nº de Catálogo 7449

3

3
**Christoph Amberger**
Nacido aprox. 1505; muerto en 1562 en Augsburgo
*El orfebre de Augsburgo Jörg Zörer,* 1531
Tabla, 78 x 51 cm
Formaba parte de la colección de Isabel de Farnesio en 1746
Nº de Catálogo 2183

1

2

3

1
**Anton Rafael Mengs**
Aussig, 1728–Roma, 1779
*Carlos III*, 1761
Lienzo, 154 x 110 cm
Colección de Carlos III
Nº de Catálogo 2200

2
**Anton Rafael Mengs**
Aussig, 1728–Roma, 1779
*El archiduque Fernando y la archiduquesa Ana de Austria*, 1770
Lienzo, 147 × 96 cm
Colección de Carlos III
Nº de Catálogo 2192

3
**Adam Elsheimer**
Francfort, 1578–Roma, 1610
*Ceres y Stelio*
Cobre, 30 × 25 cm
Originalmente en la colección del Alcázar de Madrid, antes de 1734
Nº de Catálogo 2181

4
**Anton Rafael Mengs**
Aussig, 1728–Roma, 1779
*La adoración de los pastores*, 1770
Tabla, 258 × 191 cm
Colección de Carlos III
Nº de Catálogo 2204

Mengs es una de las figuras claves que marcan la transición del estilo rococó al neoclasicismo. Aunque emergiera de un ambiente rococó, Mengs favorecía unas composiciones más severas que evocan el arte clásico y del alto Renacimiento. En la corte de Madrid desplazó a Tiépolo, el último de los grandes pintores barrocos. No obstante, las calidades más impresionantes de la obra de Mengs, sus colores esmaltados y texturas quebradizas, son esencialmente del rococó. Esta obra la pintó en Roma para la colección real española y fue entregada en 1771. Lleva su autorretrato a la izquierda.

# LA PINTURA BRITÁNICA

1

La colección británica, que también incluye obras irlandesas, viene a ser la más reciente del Prado. Al examinar su historia, ha de recordarse que Inglaterra y Escocia fueron dos reinos independientes hasta 1707, cuando el Acta de Unión marcó la absorción formal de Escocia dentro de la nueva identidad de Gran Bretaña. Las recurrentes diferencias políticas entre España e Inglaterra, que duraron desde el siglo XVI hasta principios del XIX, y la consiguiente ausencia de enlaces matrimoniales de Estado –hasta la boda de Alfonso XIII y Victoria Eugenia de Battenberg en 1906– junto con el reducido contacto entre las grandes familias de ambos países, produjeron un trasfondo histórico esencialmente desfavorable para la propagación del conocimiento del arte británico en España. Otra razón tal vez sea la poca difusión que ha tenido la pintura británica fuera de sus fronteras hasta el siglo XX. Como consecuencia de estas circunstancias históricas, los inventarios reales no registran pinturas inglesas o escocesas, excepto algunas obras anónimas. Aun después de la fundación del Prado, en 1819, entraron muy pocas piezas en la colección real, salvo algún retrato victoriano, pero siempre destinadas a los palacios reales, nunca al Museo. En realidad, la mayoría de las obras británicas que posee el Prado han entrado durante el curso del siglo XX, mediante adquisiciones o donaciones.

2

Aunque no cabe duda de que la escuela británica cuenta con importantes talentos, sobre todo en el campo de la miniatura inglesa, gran parte de los lienzos a escala mayor que se encargaron durante los siglos XVI y XVII fueron ejecutados por artistas extranjeros. El Prado guarda muchos ejemplos de este tipo de cuadros tales como los magníficos retratos de la etapa inglesa de Van Dyck, y varias obras de Anthonis Mor van Dashorst (conocido como Antonio Moro) y Rubens, que se clasifican dentro de la colección flamenca; pero por desgracia no figuran pinturas de artistas como Peter Lely o Godfrey Kneller, ni tampoco las obras de sus contemporáneos - las cuales serían significativas a fin de establecer las bases sobre las cuales poder asentar la eclosión del arte británico de los siglos XVIII y XIX.

No obstante, durante el siglo XX, el Museo ha obtenido un conjunto de piezas representativas, las cuales dan a conocer algo de la obra de los artistas británicos desde el siglo XVIII en adelante. Hay dos retratos masculinos, *Eclesiástico* y *James Bourdieu*, de Reynolds; y otros tantos de su gran contemporáneo, Gainsborough. Sin embargo, faltan los grandes retratos, tanto individuales como de grupo, y también los femeninos, de ambos pintores. Otros retratos son el tema de los lienzos de Romney, Cotes, Raeburn, Philips y Gordon que figuran en el Museo. Mención muy especial merecen dos obras de Lawrence, que suponen el enlace entre los siglos XVIII y XIX. La primera es un retrato elegante si bien algo pretencioso, de *John Vane, X conde de Westmorland*, y la segunda un delicioso y exquisito retrato de *Miss Martha Carr*. A éstas se une la distinguida figura de *Anthony Gilbert Storer*, obra de Martin Archer Shee, del que existe otra obra en el Museo –, las cuales sirvan para testimoniar la sobria precisión que alcanzaron los retratistas británicos de principios del siglo XIX. Paisajes de los siglos XVIII y XIX completan el conjunto, destacando los de David Roberts.

3

5

eorge Romney
alton-in-Furness, 1734–
ndal, 1802
*aster Ward*
enzo, 126 × 102 cm
dquirido en Londres en 1958
de Catálogo 3013

2
**Henry Raeburn**
Stockbridge, 1756–
Edimburgo, 1823
*Mrs Maclean of Kinlochaline*
Lienzo, 75 × 63 cm
Adquirido en 1966
Nº de Catálogo 3116

3
**Thomas Lawrence**
Bristol, 1769–Londres, 1830
*Retrato de Miss Martha Carr*
Adquirido en Londres en 1959
Nº de Catálogo 3012

4
**Thomas Lawrence**
Bristol, 1769–Londres, 1830
*John Fane, X conde de Westmorland*
Lienzo, 247 × 147 cm
Adquirido en Londres en 1958
Nº de Catálogo 3001

5
**Martin Archer Shee**
Dublín, 1769–Brighton, 1850
*Anthony Gilbert Storer*, 1815
Lienzo, 240 × 148 cm
Adquirido en 1957
Nº de Catálogo 3014

# ÍNDICE DE ILUSTRACIONES POR NOMBRE DE ARTISTA